TÉCNICA CONTABLE

CICLO FORMATIVO DE GRADO MEDIO

GESTIÓN ADMINISTRATIVA
2.ª EDICIÓN
REVISADA Y ACTUALIZADA 2019

Rafael Domingo Martínez Carrasco

La presente edición ha sido revisada atendiendo a las normas vigentes de nuestra lengua, recogidas por la Real Academia Española en el *Diccionario de la lengua española* (2014), *Ortografía de la lengua española* (2010), *Nueva gramática de la lengua española* (2009) y *Diccionario panhispánico de dudas* (2005).

Técnica contable 2.ª ed

© Rafael Domingo Martínez Carrasco

ISBN: 978-84-17577-93-3
Depósito legal: A 325-2019

Edita: Editorial Club Universitario. Telf.: 96 567 61 33
C/ Decano, n.º 4 – 03690 San Vicente (Alicante)
www.ecu.fm
ecu@ecu.fm

Printed in Spain
Imprime: Imprenta Gamma. Telf.: 96 567 19 87
C/ Cottolengo, n.º 25 – 03690 San Vicente (Alicante)
www.gamma.fm
gamma@gamma.fm

A Cristina, mi principal apoyo,
y a mis hijos, Jaime y Ana.

PRESENTACIÓN

El objetivo fundamental de la formación en los ciclos formativos es conseguir la capacitación de los estudiantes para el desarrollo de una actividad laboral.

Partiendo de esta premisa, el presente libro de texto pretende ser una ayuda complementaria a la labor de los profesores que imparten el módulo de Técnica Contable en los ciclo formativos de grado medio de Gestión Administrativa. Su enfoque es totalmente práctico, fruto de la experiencia docente del autor y con un desarrollo metodológico claro, partiendo del concepto de contabilidad y profundizando en los temas de una forma progresiva, con abundantes ejemplos resueltos y ejercicios de repaso.

Los temas están ordenados de manera que los alumnos puedan comprender la implicación entre la realidad empresarial y el registro contable de los hechos económicos y financieros. Ya en el primer tema se realizan análisis de datos contables, reflejados en las cuentas de la empresa, en un intento de facilitar la comprensión de la contabilidad y su principal utilidad en la empresa: ofrecer información para la toma de decisiones.

Después de cada tema se presentan ejercicios de repaso del mismo, incluyendo siempre conceptos analizados en temas anteriores. Es recomendable realizar estos ejercicios en clase, lo cual permite, además de su corrección, generar un debate sobre los conceptos estudiados, metodología muy eficaz para el aprendizaje de esta materia. Después de los ejercicios de repaso se han incluido ejercicios resueltos, de mayor dificultad, lo cual permite a los alumnos profundizar más en los conceptos contables y adaptar este módulo a la diversidad de aprendizaje en el aula.

Al final de este libro de texto se anexa el cuadro de cuentas correspondiente al Plan General de Contabilidad para Pymes, según Real Decreto 1515/2007. Todos los temas tratados están basados en esta norma, de obligatorio cumplimento desde enero 2008, y actualizados a las nuevas normativas fiscales.

Es deseo del autor que este material sea eficaz y útil para cumplir el objetivo planteado en su redacción: ser una herramienta de apoyo didáctico en la preparación de los estudiantes para el ejercicio de una actividad laboral.

Benidorm, a 12 de febrero 2010

EL AUTOR

PRÓLOGO DE LA 2ª EDICIÓN

El criterio que hizo posible la edición 1.ª de este manual sigue vigente a fecha de hoy: ser una herramienta de apoyo didáctico en la preparación de los estudiantes para el ejercicio de una actividad laboral. Pero, además, constituye en sí mismo un método didáctico eficaz en esta tarea, constatado por las numerosas opiniones de los estudiantes que lo han utilizado.

Por este motivo, hemos creído necesario actualizar este manual para posibilitar y facilitar su uso después de los cambios en ciertas normativas.

Y con la inestimable ayuda de mi buena amiga y excelente profesora Adela Chaves, en esta 2.ª edición se han actualizado los tipos de IVA a los vigentes en 2019, se han incluido algunos ejercicios adicionales y ampliadas las explicaciones de algunos conceptos que, bajo nuestro punto de vista, faltaba por abordar.

Esperamos que esta 2.ª edición permita cumplir nuestros objetivos y también las expectativas de los lectores.

Finestrat, a 30 de abril de 2019

EL AUTOR

ÍNDICE

TEMA 1: INTRODUCCIÓN A LA CONTABILIDAD

> 1.1. CONCEPTO DE CONTABILIDAD
> 1.2. DIVISIÓN DE LA CONTABILIDAD
> 1.3. CONCEPTO DE PATRIMONIO
> 1.4. ELEMENTOS PATRIMONIALES
> 1.5. MASAS PATRIMONIALES

1.1. CONCEPTO DE CONTABILIDAD

La contabilidad identifica, evalúa, registra y produce cuadros-síntesis de información. La contabilidad tiene como principal misión el proporcionar una información adecuada y sistemática del acontecer económico y financiero de las empresas.

La contabilidad es la ciencia que estudia el patrimonio en sus aspectos estático y dinámico, cualitativo y cuantitativo, empleando diversas técnicas para registrar los hechos económico-financieros.

Las empresas son entes en cuyo seno se toman decisiones y, para ello, es preciso que exista una determinada información.

El objetivo de la contabilidad es registrar los diferentes movimientos que acontecen en la empresa para su posterior análisis y síntesis, de manera que se produzca una información útil para el proceso de toma de decisiones.

1.2. DIVISIÓN DE LA CONTABILIDAD

Numerosos criterios pueden emplearse para dividir la contabilidad en parcelas de estudio. Consideramos aquí una de las definiciones más clásicas:

- **Contabilidad Financiera**: registra los movimientos y analiza la información relativa a la captación de los recursos y a su materialización en los factores productivos, así como a la comercialización y cobro de los productos o servicios prestados.

- **Contabilidad Analítica**: se ocupa del proceso de producción en sí mismo, no ya en su relación con el exterior (de lo cual se ocupa la Contabilidad Financiera), sino de la repercusión que tienen los movimientos de la empresa en sus costes.

Otra forma de clasificar la contabilidad, esta vez atendiendo a las unidades económicas a las que se dedica, sería:

- **Contabilidad de empresas**: estudia el patrimonio de las unidades económicas de producción.

- **Contabilidad del Estado o Pública**: ocupada de la valoración de la actividad pública.

- **Contabilidad Nacional**: encargada de la determinación de magnitudes macroeconómicas como la renta, el consumo, el P.I.B., etc.

1.3. CONCEPTO DE PATRIMONIO

Toda empresa, para poder funcionar, necesita de una serie de elementos que podemos clasificar en bienes, derechos y obligaciones.

Son bienes aquellos elementos propiedad de la empresa, sean tangibles o no, que utiliza en su proceso productivo, como puede ser: maquinaria, mobiliario, mercancía, dinero, patentes, etc.

Son derechos aquellos saldos pendientes de cobrar por la empresa, derechos ante terceras personas, como por ejemplo: créditos a clientes, derechos de cobro ante hacienda, etc.

Son obligaciones aquellos pagos pendientes que mantiene la empresa con terceras personas, como son: saldos pendientes de pago a proveedores, acreedores por prestaciones de servicios, deudas ante Hacienda, préstamos recibidos de bancos, etc.

Podemos decir que los bienes y derechos de la empresa han de hacer frente a las obligaciones. Precisamente, a la diferencia entre bienes y derechos contra las obligaciones es a lo que llamamos **patrimonio** o **patrimonio neto**, o simplemente **neto**.

Patrimonio, dicho de otra forma, es el conjunto de bienes, derechos y obligaciones de una empresa.

1.4. ELEMENTOS PATRIMONIALES

Los elementos que conforman el patrimonio de una empresa son los llamados **elementos patrimoniales**.

Tal y como ya hemos visto, los elementos patrimoniales son los bienes, derechos y obligaciones.

1.5. MASAS PATRIMONIALES

Es fácil deducir que los bienes y derechos de la empresa constituyen la parte a favor de su patrimonio, mientras que las obligaciones son la parte en contra del mismo.

Para diferenciarlas, se agrupan por separado en lo que se denominan **masas patrimoniales**.

Los bienes y derechos se agrupan en las masa patrimonial llamada **ACTIVO**, y las obligaciones en lo que se llama **PASIVO**.

El activo de una empresa es el destino (bienes y derechos) que se le ha dado a una serie de recursos (obligaciones) que conforman el pasivo. El pasivo es, por tanto, la manera en que se financia el activo.

Pero para completar nuestro análisis, hemos de referirnos a otra forma de financiarse de la empresa sin que ello suponga obligaciones de pago. Es lo que se denomina **Financiación Propia**: capital aportado por los socios, beneficios acumulados no distribuidos (reservas), etc.

Por tanto, para poder mantener todo su activo, las empresas obtienen financiación ajena (obligaciones) y utilizan también financiación propia. Ya que esta última es también financiación, figurará en la masa patrimonial de PASIVO, pero agrupados con el nombre de **NETO**, o **PATRIMONIO NETO**.

Supongamos que hemos de calcular el patrimonio de una empresa. Para ello, hemos de conocer sus bienes y derechos (que conformarán el ACTIVO) y las obligaciones (que conformarán el PASIVO). Sigamos el siguiente ejemplo:

ACTIVO

40.000,00 Construcciones (todo tipo de edificación).
50.000,00 Maquinaria (máquinas que intervienen en el proceso productivo)
20.000,00 Clientes (saldos a nuestro favor a cobrar de nuestros clientes)
10.000,00 Tesorería (dinero en efectivo en nuestro poder o depositado en el banco)

Las construcciones, maquinaria y tesorería son **bienes**, porque son propiedad de la empresa. Los clientes son **derechos**, ya que no nos pertenecen, pero tenemos derecho a cobrarles.

PASIVO

30.000,00 Deudas a largo plazo (préstamos u otras deudas a más de un año)
20.000,00 Proveedores (saldos a pagar a los suministradores de mercancías)

Ambas son **obligaciones**.

Vemos que el total del activo es de 120.000,00 € y el total del pasivo (las obligaciones) suman 50.000,00 €. Por tanto, el **patrimonio neto** de la empresa es 70.000,00 € (la diferencia), que también aparecerá en el PASIVO aunque no sea una obligación (no hay que devolverlo).

Como antes mencionamos, el pasivo es la forma en que se financia el activo. Siguiendo el ejemplo, si nos preguntamos cómo esta empresa tiene 120.000,00 € en bienes y derechos, responderemos que ello es posible gracias a una deuda a largo plazo y una deuda a los proveedores, además de un patrimonio de 70.000,00 € (que corresponderá al dinero aportado por los socios, a los beneficios ahorrados desde que se creó la empresa y otras situaciones que veremos más adelante).

Ya tenemos, por tanto, las tres grandes masas patrimoniales de la empresa: el **activo**, el **pasivo** y el **patrimonio neto**.

Para reflejar el conjunto de masas patrimoniales de la empresa se utiliza el BALANCE. En él aparecen las tres grandes masas patrimoniales debidamente ordenadas, permitiéndonos analizar la situación económica-financiera de la empresa.

En el activo de un balance, como ya dijimos, se incluyen los bienes y derechos. Pero estos presentarán una diferencia temporal que conviene distinguir. En contabilidad se considera corto plazo hasta el año natural, y largo plazo a partir de un año natural. Por ello, existirán derechos de cobro que podemos ejercer hasta un año (corto plazo) o a más de un año (largo plazo). Lo mismo puede ocurrir con los bienes. Existirán bienes que se utilizarán o consumirán en un período igual o inferior a un año (corto plazo) o que se utilizarán durante un período superior a un año (largo plazo).

Por ello, el activo puede subdividirse a su vez en: **activo no corriente**, que incluye bienes y derechos a largo plazo, y el **activo corriente**, que incluye bienes y derechos a corto plazo.

El activo no corriente incluye los elementos inmovilizados en la empresa y podría subdividirse en: **inmovilizado intangible** (bienes a largo plazo inmateriales), **inmovilizado material** (bienes a largo plazo tangibles), **inversiones inmobiliarias** (bienes adquiridos no para el proceso productivo, sino como inversiones) e **inversiones financieras a largo plazo** (inversiones financieras o derechos de cobro a largo plazo).

El activo corriente se puede subdividir en: **existencias** o *stock* (materiales que se incorporan a los productos finales de la empresa), **deudores comerciales** (derechos de cobro a corto plazo), **inversiones financieras a corto plazo** y **efectivo** (tesorería, o sea, dinero en caja y bancos).

Por su parte, el pasivo se divide en **patrimonio neto, pasivo no corriente** (obligaciones a largo plazo) y **pasivo corriente** (obligaciones a corto plazo).

Dentro del Patrimonio Neto encontramos lo que se conoce como Fondos Propios: Capital (si es empresario individual autónomo) o Capital Social (en caso de sociedad), que es lo que aportaron en su día los accionistas de la empresa; y las Reservas, que son beneficios acumulados desde que se creó la empresa. Un error frecuente al iniciarse en contabilidad es creer que las reservas consisten en dinero guardado para casos de necesidad. Esto lo aclararemos más adelante, pero ahora conviene señalar que todo el Patrimonio Neto es un concepto, no dinero. Podríamos ponernos cada uno de nosotros como ejemplo e intentar recordar qué hemos hecho con nuestros ahorros durante toda nuestra vida. En el activo de nuestro balance, tendríamos en qué hemos invertido estos ahorros y en el pasivo el concepto de Reservas, que es el total ahorrado en nuestra vida. No podríamos acudir a las Reservas para realizar un pago, sino al dinero efectivo, que estará reflejado en el Activo.

El Activo se ordena de menor a mayor LIQUIDEZ. El Pasivo se ordena de menor a mayor EXIGIBILIDAD

CLASIFICACIÓN DEL BALANCE

	ACTIVO			PASIVO	
	NO CORRIENTE	Inmoviliz. intangible Inmoviliz. material Inversiones inmobiliarias Inversiones financieras a l.p.		**PATRIM. NETO**	Fondos Propios: Capital, Reservas, etc.
CORRIENTE	**EXISTENCIAS**	Mercaderías Materias primas, etc.		**NO CORRIENTE**	Acreedores a l.p. Deudas a l.p, etc.
	DEUDORES COMERCIALES	Clientes Deudores Hacienda			
	INVERSIONES FINANCIERAS	Crédit. c.p., etc.			
	EFECTIVO	Caja Bancos, etc.		**CORRIENTE**	Proveedores Acreedores Deudas a c.p., etc.

Presentar un balance de la forma que acabamos de comentar permite realizar un análisis de la situación económico-financiera de la empresa, comparando las diferentes masas patrimoniales. Podemos, por ejemplo, comparar el Activo Corriente con el Pasivo Corriente. Ambos son a corto plazo: el Pasivo Corriente recoge las deudas a corto plazo, mientras que el Activo Corriente engloba los bienes y derechos que se convertirán en efectivo, o ya lo son, a corto plazo. Por tanto el Pasivo Corriente se ha de pagar, previsiblemente, con el Activo Corriente. Si este fuera menor que aquel significaría que la empresa puede sufrir desajustes de tesorería y necesitaría soluciones para poder pagar sus obligaciones a corto plazo.

Ejemplo. Supongamos una empresa con el siguiente balance

ACTIVO	PASIVO	
90.000,00 Maquinaria	Capital Social	100.000,00
80.000,00 Mobiliario	Deudas a largo plazo	20.000,00
10.000,00 Mercaderías	Proveedores	80.000,00
15.000,00 Clientes		
5.000,00 Caja		

Solución:

Podemos comprobar que el Activo Corriente suma un total de 30.000,00 € (Mercaderías, Clientes y Caja, siendo este último el dinero efectivo de que dispone la empresa), mientras que el Pasivo Corriente suma 80.000,00 € (Proveedores, que son las deudas a los suministradores de mercancías). Como vemos, la empresa presenta un problema de pago, ya que no dispone en el Activo Corriente de suficientes fondos como para pagar sus obligaciones a corto plazo.

Ante esta situación, la empresa dispone de diferentes soluciones:

- Solicitar más préstamos a largo plazo: esto haría que entrara efectivo (aumentaría el Activo Corriente), aunque aumentará el Pasivo No Corriente. Si estos préstamos sumaran 50.000,00 €, la empresa podría pagar sus deudas a corto plazo. Ahora bien, esta situación podría suponer problemas de cara al futuro, ya que esos préstamos, aunque sea en el largo plazo, hay que devolverlos.

- Aplazar los pagos a proveedores: de esta manera el empresario dispone de tiempo para generar más dinero. El problema es la mala imagen que implicaría esta acción, lo que podría afectar al futuro, ya que quizás no encuentre proveedores que deseen trabajar con la empresa.

- Vender inmovilizado, o sea Activo No Corriente: de esta forma, se generaría efectivo, pero esto es una solución si se puede prescindir de parte del inmovilizado, cosa que no es muy habitual.

- Aumentar el capital: puede realizarse con nuevas aportaciones de los socios existentes o bien buscando nuevos socios. Aumentaría el efectivo de la empresa, pero la entrada de nuevos socios puede afectar al equilibrio de poder de la sociedad.

Como vemos, no existe una solución ideal. La mejor solución dependerá siempre de la situación de la empresa y de sus expectativas de futuro.

EJERCICIO 1.1

Con los datos siguientes, confeccionar un balance, calcular el importe del capital social y analizar la situación de la empresa, recomendando posible mejoras.

Construcciones 100.000,00
Mobiliario 40.000,00
Maquinaria 60.000,00
Capital social .... ¿
Deudas a largo plazo 60.000,00
Proveedores 90.000,00
Clientes 10.000,00
Reservas 20.000,00
Mercaderías 30.000,00
Bancos 20.000,00
Caja 10.000,00

EJERCICIO 1.2

Confeccionar los balances correspondientes a los siguientes datos, analizando las situaciones en ellos representadas y recomendando posibles mejoras.

a) Clientes: 5.000,00
Caja: 3.000,00
    Bancos: 8.000,00
    Mobiliario: 2.000,00
    Proveedores: 1.000,00
    Mercaderías: 7.000,00
    Capital social: 18.000,00
    Reservas: 4.000,00
    Deudas a largo plazo: 2.000,00

b) Clientes: 1.000,00
Caja: 1.000,00
    Bancos: 2.000,00
    Mobiliario: 3.000,00
    Maquinaria: 5.000,00
    Construcciones: 7.000,00
    Mercaderías: 10.000,00
    Proveedores: 7.000,00
    Deudas a largo plazo: 3.000,00
    Capital Social: 12.000,00
    Reservas: 7.000,00

c) Clientes: 1.000,00
Caja: 1.000,00
    Bancos: 2.000,00
    Mobiliario: 2.000,00
    Mercaderías: 4.000,00
    Proveedores: 9.000,00
    Capital social: 1.000,00

EJERCICIO 1.3 RESUELTO

Dados los datos siguientes confeccionar un balance y recomendar posibles mejoras

Capital social 120.000,00
Deudas a largo plazo 100.000,00
Deudas a corto plazo 50.000,00
Mercaderías 80.000,00
Proveedores 10.000,00
Caja 30.000,00
Bancos 60.000,00
Maquinaria 100.000,00
Clientes 10.000,00

SOLUCIÓN EJERCICIO 1.3

ACTIVO		PASIVO	
100.000,00	Maquinaria	Capital social	120.000,00
80.000,00	Mercaderías	Deudas a largo plazo	100.000,00
10.000,00	Clientes	Proveedores	10.000,00
30.000,00	Caja	Deudas a corto plazo	50.000,00
60.000,00	Bancos		

En este caso, la empresa presenta un exceso de efectivo, puesto que solo con el saldo de bancos ya podría pagar todas sus deudas a corto plazo y proveedores, quedando aún dinero en caja, mercaderías y saldos de clientes por cobrar. Estos excesos, a no ser que se piensen utilizar rápidamente en algún negocio, cosa que no conocemos, suponen una mala gestión de tesorería, ya que los saldos de efectivo no ofrecen prácticamente ninguna rentabilidad.

Por ello, y a tenor de la información disponible, podríamos proponer al empresario que invierta el exceso en algún tipo de producto financiero que le ofrezca mayor rentabilidad de la que supone una cuenta corriente, como podría ser renta fija o depósitos a plazo fijo.

EJERCICIO 1.4 RESUELTO

Confeccionar el balance correspondiente a los siguientes datos, analizando la situación de la empresa y recomendando posibles mejoras.

Caja: 3.000,00
Bancos: 2.000,00
Maquinaria: 5.000,00
Mercaderías: 5.000,00
Proveedores: 10.000,00
Capital Social: 3.000,00

SOLUCIÓN EJERCICIO 1.4

ACTIVO	PASIVO
5.000,00 Maquinaria	Capital social 3.000,00
3.000,00 Mercaderías	Proveedores 10.000,00
3.000,00 Caja	
2.000,00 Bancos	

La empresa tiene un Activo Corriente de 8.000,00 € (Mercaderías, Caja y Bancos), frente a un Pasivo Corriente de 10.000,00 €. O sea, tiene que pagar 10.000,00 antes de un año y lo tiene que hacer con su Activo Corriente, pero este no es suficiente. Es cierto que venderá las Mercaderías por un mayor valor de lo que le ha costado, pero aun así puede tener problemas de tesorería.

Posibles soluciones: solicitar un préstamo a largo plazo, vender algo de maquinaria, aplazar la deuda a los proveedores, aumentar el Capital Social. Elegir la mejor de estas soluciones dependerá de un análisis de campo detallado y de las posibilidades de la empresa.

TEMA 2: LAS CUENTAS

2.1. LA CUENTA COMO INSTRUMENTO CONTABLE

La contabilidad recoge los movimientos y operaciones que se realizan en la empresa, registrando cada uno de ellos para su posterior síntesis y análisis.

En el tema anterior vimos que existían una serie de masas patrimoniales que recogían de manera homogénea un grupo de elementos patrimoniales.

Pues bien, para registrar los movimientos y operaciones que la empresa realiza no sería operativo utilizar para su registro las masas patrimoniales antes enunciadas, puesto que la información que nos aporta no es muy concreta. La contabilidad utiliza para ello las cuentas.

Las cuentas se integran dentro de las diferentes masas patrimoniales y representan elementos de la misma. Caja, bancos, proveedores, clientes, mercaderías, maquinaria, deudas a largo plazo, capital, reservas, etc., son ejemplos de cuentas, mucho más concretas que si utilizáramos las correspondientes masas patrimoniales en las que están integradas.

Las cuentas recogen todos los movimientos que se producen en los diversos elementos. Cada cuenta refleja un elemento patrimonial.

Si bien hemos mencionado que cada cuenta se agrupa en una masa patrimonial determinada dentro del balance, es cierto que en la misma se producen movimientos de entrada y salida, y esto es precisamente lo que recoge la cuenta. Así, por ejemplo, sabemos que la cuenta «caja» pertenece a la masa patrimonial de «efectivo» dentro del activo corriente. Pero podemos **cobrar** dinero por caja y también **pagar** dinero por caja. Estos cobros y pagos son el **movimiento** de la cuenta «Caja».

En un balance hablamos de ACTIVO y PASIVO, pero en el movimiento de una cuenta hablaremos de DEBE y HABER, y no hemos de confundir estos términos. Por ejemplo, la cuenta «Clientes» es de ACTIVO, pero tendrá movimientos en el DEBE y movimientos en el HABER.

Esto nos lleva al concepto de LIBRO MAYOR. En este libro se recogen todas las cuentas con sus movimientos. El **saldo** de cada cuenta se obtiene en el libro mayor por la diferencia entre los movimientos del DEBE y los del HABER.

2.2. CLASIFICACIÓN DE LAS CUENTAS

Como hemos visto, existen cuentas de activo, que representan bienes o derechos, y cuentas de pasivo, que representan el patrimonio neto o las obligaciones.

Pero para poder reflejar los distintos hechos económicos que se producen en las empresas, necesitamos de otras cuentas que representen gastos e ingresos, para, por diferencia, conocer el beneficio o la pérdida que se produce en un ejercicio económico (habitualmente un año natural)

Por tanto, podemos decir que las cuentas se clasifican en:
ü   Cuentas de activo
ü   Cuentas de pasivo
ü   Cuentas de gastos
ü   Cuentas de ingresos

2.3. CONVENIOS DE FUNCIONAMIENTO DE LAS CUENTAS

Los movimientos de las cuentas se reflejan en el libro mayor. En este libro se diferencia el DEBE y el HABER, y se puede representar como sigue:

NOMBRE DE LA CUENTA

DEBE	HABER

Podemos fácilmente imaginarnos que esta figura representa un libro abierto en el que a la página de la izquierda se le llama debe, y a la página de la derecha se le llama haber.

Hemos comentado anteriormente que el saldo de una cuenta es la diferencia entre el debe y el haber.

Toda cuenta de activo (bienes o derechos) tiene saldo al debe, y toda cuenta de pasivo tiene saldo al haber.

Si una cuenta de activo aumenta, se anota en el debe, y si disminuye, se anota en el haber.

Si una cuenta de pasivo aumenta, se anota en el haber, y si disminuye se anota en el debe.

Por ejemplo, la cuenta Caja, que representa el dinero en efectivo del que dispone la empresa, tendrá un saldo inicial en el DEBE porque es de Activo. Si pagamos por Caja, como representa una salida (una disminución) anotaremos esa cantidad en el HABER, pero si cobramos por Caja (como supone un aumento) se anotará esa cantidad en el DEBE. Supongamos que tenemos 3.000,00 € en Caja como saldo inicial. Pagamos 1.500,00 € en una operación y cobramos 2.000,00 € en otra. Lo anotaremos en su libro mayor de la siguiente forma:

CAJA

DEBE	HABER
3.000,00	1.500,00
2.000,00	
SALDO = 3.500,00	

El mismo funcionamiento tendrá cualquier otra cuenta de ACTIVO.

De la misma forma, la cuenta Proveedores, que refleja las deudas a los suministradores de mercancías, tendrá un saldo inicial en el HABER porque es una cuenta de Pasivo. Si pagamos a un Proveedor, como representa una disminución ya que le debemos menos, lo anotaremos en el DEBE (como vemos, en el lado contrario a su lugar «natural») y si debemos más a un proveedor lo anotaremos en el HABER, ya que supone un aumento de la deuda. Supongamos que debemos inicialmente 4.000,00 € a un proveedor. Le pagamos 2.000,00 en una operación y en otra le debemos otra factura de 1.600,00 €. Las anotaciones en su libro mayor serán las siguientes:

PROVEEDORES

DEBE	HABER
2.000,00	4.000,00
	1.600,00
SALDO	3.600,00

El mismo funcionamiento tendrá cualquier otra cuenta de PASIVO.

Aunque lo trataremos con detenimiento en temas posteriores, toda cuenta de gasto se anota siempre en el debe y toda cuenta de ingreso se anota siempre en el haber.

2.4. TECNICISMOS DE LAS CUENTAS

Se denomina CARGAR una cuenta cuando se anota en el debe de la misma. Se denomina ABONAR una cuenta cuando se anota en el haber.

Las cuentas **deudoras** son las que tienen saldo deudor (total del debe mayor que el total del haber).

Las cuentas **acreedoras** son las que tienen saldo acreedor (total del haber mayor que el total del debe).

Una cuenta de ACTIVO aumenta cuando se **carga**, o sea, cuando se produce en la misma un movimiento en el DEBE.

Una cuenta de PASIVO aumenta cuando se **abona**, o sea, cuando se produce en la misma un movimiento en el HABER.

2.5. LOS LIBROS DE CONTABILIDAD

Los libros de contabilidad son los siguientes:

- Libro diario: en él se reflejan mediante lo que se llaman asientos contables todos los hechos económicos que se producen en la empresa.

- Libro mayor: recoge los movimientos de todas las cuentas utilizadas por la empresa.

- Libro de Inventarios y Cuentas Anuales: están representados por el Balance, la Cuenta de Pérdidas y Ganancias (en la que se analiza el beneficio o la pérdida acaecido durante un ejercicio económico), Estado de cambios en el patrimonio neto y la Memoria. Estos tres últimos los veremos con detalle en el tema 12.

2.6. LA PARTIDA DOBLE: LOS ASIENTOS CONTABLES

El primer autor del que tenemos noticias que estableciera claramente el uso del método de la partida doble es Benedetto Cotingli Rangeo. Su libro *Della mercatura et del mercanti perfetto*, terminado de escribir el 25 de agosto de 1458, tardó casi 115 años en ser llevado a la imprenta. Trata la contabilidad de forma breve, pero ya habla del *giornale* (diario), el *cuaderno* (mayor) y la elaboración anual del *bilancione* (balance). A pesar de ello, debido al carácter incompleto de su exposición y a su tardía impresión, no se puede adjudicar a su autor en la historia de la contabilidad un papel comparable al de fray Luca Pacioli.

El libro *Summa* de Pacioli fue publicado en 1494 y tuvo gran éxito, particularmente la parte dedicada a la práctica comercial y contable, que fue reimpresa por separado algunos años más tarde. De la descripción realizada por Pacioli se desprende que los comerciantes venecianos se veían precisados a utilizar, en primer lugar, un borrador, no empleaban directamente el diario. Para realizar asientos en el diario, era preciso, en primer lugar, convertir las operaciones registradas en el borrador a la unidad monetaria elegida por el comerciante para llevar sus registros.

A lo largo del siglo XVI se produjo en toda Europa la progresiva difusión del procedimiento contable de la partida doble, en la mayoría de los casos simples adaptaciones de la del franciscano Pacioli.

El carácter completo y omnicomprensivo de la contabilidad por partida doble hizo que cobraran sentido medidas adicionales para garantizar la fiabilidad de los libros. Así, se constituyó en norma consuetudinaria y aún legal, en algunos casos, el hecho de que los libros Diario y Mayor, libros típicos y principales de la partida doble, estuvieran encuadernados, no contuvieran tachaduras, no se dejaran hojas ni espacios en blanco, etc., todo ello al objeto de que no pudieran introducirse hojas nuevas ni sustituirse las originales, ni tampoco pudieran anularse partidas anteriores o intercalarse asientos nuevos. Asimismo, se generalizó la práctica de autenticar los libros en los consulados u otras organizaciones de mercaderes. De este modo, los libros de cuentas cobraron fuerza probatoria ante los tribunales de Justicia.

La partida doble se fundamenta en el movimiento de las cuentas. Como hemos visto, en el libro MAYOR se recogen los movimientos individuales de cada una de las cuentas. Pero si nos fijamos, cuando se mueve una cuenta, siempre se moverá, al menos, otra cuenta, y siempre en sentido contrario. O sea, cuando una cuenta se mueve al DEBE, siempre existirá al menos otra cuenta que se moverá al HABER.

Por tanto, si pretendemos contabilizar una operación contable, utilizaremos el libro DIARIO para reflejar estas operaciones. En este libro se escriben en forma de ASIENTOS las operaciones de la empresa. Dado que siempre habrá, por los menos, una cuenta en el DEBE y otra, o más, en el HABER, los asientos contables presentan la siguiente estructura:

Importe	CUENTA DEL DEBE	a	CUENTA DEL HABER	Importe

Por ejemplo, pagamos 2.000,00 € a un Proveedor través de Caja

2.000,00	Proveedores	a	Caja	2.000,00

Como proveedores es de pasivo (derecha), al pagarle, disminuimos nuestra deuda, con lo que se anota en el debe. Caja es de activo (izquierda) y al pagar, disminuimos nuestro dinero efectivo, con lo que anotamos en el haber.

Si cobramos 1.000,00 € a un cliente a través de nuestra cuenta corriente en el Banco haremos el siguiente asiento:

1.000,00 Bancos	a	Clientes	1.000,00

Bancos es una cuenta de Activo (izquierda) y al cobrar aumentamos nuestro dinero, por lo que anotaremos la cantidad en el Debe (izquierda). Clientes es una cuenta de Activo (izquierda) y al cobrar de él nuestro derecho de cobro disminuye, por lo que lo anotamos en el Haber (derecha).

Ejemplo:

Una empresa nos informa de los saldos de sus cuentas, que son los siguientes:

Caja:	3.000,00	Proveedores,	5.000,00
Clientes:	2.000,00	Maquinaria,	12.000,00
Capital social:	14.000,00	Mercaderías,	2.000,00

Ha realizado las siguientes operaciones:

1. Paga a proveedores desde caja, 1.500,00 €
2. Cobra a clientes por caja, 1.000,00 €

Se pide organizar el Balance inicial de la empresa, confeccionar los libros mayores de todas las cuentas y realizar los asientos contables. Con los saldos finales del libro mayor, confeccionar un nuevo Balance.

Solución:

El ejercicio nos pide cumplimentar tres libros: balances, libro mayor y diario. Vamos a hacerlo por separado:

Balance Inicial

ACTIVO	PASIVO
12.000,00 Maquinaria	Capital Social 14.000,00
2.000,00 Mercaderías	Proveedores 5.000,00
2.000,00 Clientes	
3.000,00 Caja	

Libro diario

En él anotaremos las operaciones realizadas, puntos 1 y 2 del ejercicio.

1.500,00	Proveedores	a	Caja	1.500,00
1.000,00	Caja	a	Clientes	1.000,00

Libro mayor

En él anotaremos los saldos iniciales de cada cuenta y posteriormente sus movimientos, calculando el saldo final de cada una de ellas.

MAQUINARIA

DEBE	HABER
12.000,00	
SALDO = 12.000,00	

MERCADERÍAS

DEBE	HABER
2.000,00	
SALDO = 2.000,00	

CLIENTES

DEBE	HABER
2.000,00	1.000,00
SALDO = 1.000,00	

CAJA

DEBE	HABER
3.000,00	1.500,00
1.000,00	
SALDO = 2.500,00	

CAPITAL SOCIAL

DEBE	HABER
	14.000,00
SALDO =	14.000,00

PROVEEDORES

DEBE	HABER
1.500,00	5.000,00
SALDO =	3.500,00

Balance final

Con los saldos finales de cada una de las cuentas confeccionamos un nuevo balance.

ACTIVO		PASIVO	
12.000,00	Maquinaria	Capital social	14.000,00
2.000,00	Mercaderías	Proveedores	3.500,00
1.000,00	Clientes		
2.500,00	Caja		
17.500,00	TOTAL ACTIVO	TOTAL PASIVO	17.500,00

Como hemos podido comprobar, iniciamos el ejercicio con un Balance que, necesariamente, cuadraba, o sea, la suma del Activo coincidía con la suma del Pasivo.

Después, hemos realizado una serie de operaciones y cada una de ellas cuadraba (en cada asiento contable la suma del Debe coincidía con la suma del Haber)

Al final, gracias al libro mayor, hemos obtenido un Balance final cuadrado (la suma del Activo coincide con la suma del Pasivo).

EJERCICIO 2.1

Suponiendo un balance inicial compuesto por las siguientes cuentas, con sus saldos:

Maquinaria: 5.000,00
Caja: 2.000,00
Bancos: 5.000,00
Proveedores: 7.000,00
Clientes: 1.000,00
Mercaderías: 4.000,00
Deudas a largo plazo: 2.000,00
Capital social: 8.000,00

Confeccionar los mayores de cada una de las cuentas, realizar los asientos del diario y registrar en los mismos los siguientes movimientos:

1. Se paga por caja 1.500,00 a los proveedores.

2. Se paga por bancos 2.000,00 de deudas a largo plazo.

3. Se paga por bancos 1.000,00 por compra de mobiliario de oficina.

4. Nos conceden un préstamo a corto plazo de 2.000,00, que cobramos por bancos.

5. Se cobra por caja 1.000,00 de los clientes.

Confeccionar, a partir de los saldos resultantes, el nuevo balance de la empresa.

Nota: si aparece en las operaciones una nueva cuenta, habrá que abrir para ella un nuevo mayor.

EJERCICIO 2.2

La empresa SEPA S.A. presenta sus datos en las siguientes cuentas, con sus saldos:

Construcciones: 60.000,00
Mobiliario: 15.000,00
Caja: 2.000,00
Bancos: 8.000,00
Proveedores: 10.000,00
Clientes: 5.000,00
Mercaderías: 40.000,00
Deudas a largo plazo: 20.000,00
Capital social: 60.000,00

Confeccionar los mayores de cada una de las cuentas, realizar los asientos del diario y registrar en los mismos los siguientes movimientos:

1. Se paga por caja 1.000,00 a los proveedores.

2. Se paga por bancos 5.000,00 de deudas a largo plazo.

3. Se ingresa en la cuenta del banco 500,00 € desde caja.

4. Se paga por bancos 2.000,00 por compra de maquinaria.

5. Se cobra por bancos 2.000,00 de los clientes.

Confeccionar, a partir de los saldos resultantes, el nuevo balance de la empresa.

EJERCICIO 2.3 RESUELTO

La empresa EXCU S.A. tiene, a 30 de diciembre, los siguientes saldos de cuentas:

Bancos 5.000,00
Elementos de transporte 3.000,00
Mobiliario..1.000,00
Construcciones...62.000,00
Capital Social...60.000,00
Proveedores..6.000,00
Mercaderías...10.000,00
Clientes...4.000,00
Caja...1.000,00
Deudas a largo plazo........ ....8.000,00
Deudas a corto plazo....... ....5.000,00
Reservas.................. ....7.000,00

El día 31 de diciembre ocurrieron los siguientes hechos:

1.- Se pagó por bancos 2.000,00 € a los proveedores.

2.- Se cobró por caja 3.000,00 € de los clientes.

3.- Se ingresaron en la c/c bancaria 3.500,00 € de caja.

4.- Se compró una maquinaria por 4.000,00 € pagándola por bancos.

5.- Se pagó 200,00 € por bancos del préstamo a corto plazo.

Se pide: realizar los asientos del diario de estas operaciones y confeccionar un nuevo balance una vez ocurridos estos hechos.

SOLUCIÓN EJERCICIO 2.3

1.

2.000,00 Proveedores		
	a Bancos	2.000,00

2.

3.000,00 Caja		
	a Clientes	3.000,00

3.

3.500,00 Bancos		
	a Caja	3.500,00

4.

4.000,00 Maquinaria		
	a Bancos	4.000,00

5.

200,00 Deudas a corto plazo		
	a Bancos	200,00

Después de estos hechos, el nuevo balance quedaría

ACTIVO		PASIVO	
Construcciones	62.000,00	Capital Social	60.000,00
Maquinaria	4.000,00	Reservas	7.000,00
Mobiliario	1.000,00	Deudas a largo plazo	8.000,00
Elem. de trans.	3.000,00	Proveedores	4.000,00
Mercaderías	10.000,00	Deudas a corto plazo	4.800,00
Clientes	1.000,00		
Caja	500,00		
Bancos	2.300,00		

TEMA 3: EL PLAN GENERAL DE CONTABILIDAD

3.1. NORMALIZACIÓN Y PLANIFICACIÓN CONTABLE
3.2. CARACTERÍSTICAS GENERALES DEL P.G.C. PYMES
3.3. ESTRUCTURA DEL P.G.C. PYMES
3.4. LOS PRINCIPIOS CONTABLES

3.1. NORMALIZACIÓN Y PLANIFICACIÓN CONTABLE

La contabilidad no interesa únicamente a la empresa que la realiza. Numerosos agentes externos necesitan entender de qué manera se han realizado las operaciones en la empresa y cuál es su situación económico-financiera.

Por ello, era necesaria una normalización contable, un instrumento legal que asegurara la utilización de criterios homogéneos a la hora de registrar los diferentes hechos que se producían en las empresas.

De esta manera surgen los Planes Generales de Contabilidad. Actualmente, en España, se utiliza en Plan General Contable aprobado por R.D. 1515/2007 en el caso de las PYMES y R.D. 1514/2007 para el resto de empresas, que sustituyen el Plan General de 1990.

3.2. CARACTERÍSTICAS GENERALES DEL P.G.C. PYMES

El Plan General de Contabilidad está concebido como una herramienta de carácter técnico, que debe servir para facilitar el cumplimiento del deber de llevar una contabilidad ordenada y adecuada a la actividad del empresario. Hay que destacar también el carácter flexible del PGC, ya que permite que algunas cuestiones no se presenten como soluciones únicas, sino que se admiten alternativas.

Básicamente, el P.G.C. pretende que, mediante la contabilidad, puedan reflejarse los hechos económicos con transparencia y se pueda llegar a representar de manera fiel el patrimonio de la empresa.

El P.G.C. Pymes podrá ser utilizado por aquellas empresas que cumplan durante dos años consecutivos (o al iniciar su actividad) al menos **dos** de las circunstancias siguientes al cierre del ejercicio:

- Total partidas de Activo menor o igual a 4.000.000,00 €
- Importe neto de su cifra anual de negocios menor o igual a 8.000.000,00 €
- Número medio de trabajadores empleados en el ejercicio menor o igual a 50

Las empresas que cumplan estos requisitos podrán elegir utilizar el PGC Pymes o el General, pero deben mantener esta elección durante al menos **3 ejercicios económicos**, a no ser que dejara de cumplir estos requisitos, con lo que pasaría obligatoriamente a utilizar el General.

Por otra parte, el PGC contempla ciertas ventajas que examinaremos más adelante en el caso de microempresas. Se considera microempresa la que cumpla durante dos años consecutivos al menos dos de los siguientes requisitos al finalizar el ejercicio:

- Total partidas del Activo menor o igual a 1.000.000,00 €
- Importe neto de su cifra de negocios menor o igual a 2.000.000,00 €
- Número medio de trabajadores durante el ejercicio menor o igual a 10

3.3. ESTRUCTURA DEL P.G.C.

El Plan General de Contabilidad para PYMES 2007 tiene la siguiente estructura:

- ♦ **Marco conceptual de la contabilidad**: son principios de obligatoria aplicación.
- ♦ **Normas de registro y valoración**: el P.G.C. establece aquí las normas generales de valoración de ciertos elementos patrimoniales.
- ♦ **Cuentas Anuales**: se detalla la manera de confeccionar y presentar las llamadas cuentas anuales: Balance, Cuenta de Pérdidas y Ganancias, Estado de Cambios del Patrimonio Neto y Memoria.
- ♦ **Cuadro de cuentas**: es una relación prácticamente exhaustiva de todas las cuentas que intervienen en el conjunto de operaciones que realizan las empresas.
- ♦ **Definiciones y relaciones contables**: se definen de forma rigurosa cada una de las cuentas, detallando también su movimiento.

3.3.1. El Cuadro de Cuentas

Las cuentas que figuran en el Cuadro de Cuentas se agrupan según determinados criterios.

El cuadro de cuentas recoge todas las cuentas que se utilizan en la contabilidad.

En dicho cuadro podemos encontrar 4 niveles:

Grupos: tienen asignados 1 dígito.
Subgrupos: tienen asignados 2 dígitos.
Cuentas: tienen asignados 3 dígitos.
Subcuentas: tienen asignados 4 o más dígitos.

En contabilidad se trabaja habitualmente con cuentas y subcuentas.

Para realizar nuestros ejercicios, utilizaremos, fundamentalmente, las cuentas. Pero en la vida real de las empresas es muy útil utilizar subcuentas (más de 3 dígitos) para obtener mayor información. Si la cuenta 430 es clientes, podemos añadir más dígitos a esa cuenta y así clasificaríamos los diferentes clientes de la empresa por su nombre. De esta forma, la subcuenta 43000825 podría ser el cliente Arturo Fernández.

3.3.2. Composición del Cuadro del Cuentas

Las cuentas no se incluyen en los grupos de forma arbitraria. Vamos a analizar la composición de cada grupo.

Grupo 1: Financiación Básica

Aquí se incluyen cuentas que reflejan el PATRIMONIO NETO y las obligaciones a largo plazo (Pasivo No Corriente) .

Grupo 2: Inmovilizado

Las cuentas aquí incluidas representan fundamentalmente el INMO-VILIZADO de la empresa, o sea, las inversiones, tanto intangibles, mate-

riales, inmobiliarias como financieras. Son cuentas del ACTIVO NO CO-
RRIENTE.

Grupo 3: Existencias

Son bienes INVENTARIABLES que la empresa posee para realizar su producción o bien para venderlos directamente. Forman parte del ACTIVO CO-
RRIENTE.

Grupo 4: Acreedores y deudores por operaciones comerciales

Son derechos de cobro y obligaciones de pago a corto plazo, producidas de forma normal en el desarrollo de la actividad. Son cuentas del ACTIVO CORRIEN-
TE o del PASIVO CORRIENTE (corto plazo).

Grupo 5: Cuentas financieras

Son cuentas que representan bienes, derechos u obligaciones a corto plazo con
un sentido financiero. Pueden formar parte del ACTIVO CORRIENTE o del PA-
SIVO CORRIENTE. También se incluye aquí el EFECTIVO (dinero en caja o
bancos, que estaría dentro del ACTIVO CORRIENTE).

Grupo 6: Compras y Gastos

Aquí se incluyen todas las cuentas de gastos de la empresa. No aparecen en el
balance y sus movimientos se producen en el DEBE (se cargan siempre) excepto
algunas excepciones.

Grupo 7: Ventas e Ingresos

Aquí se incluyen todas las cuentas de ingresos de la empresa. No aparecen
en el balance y sus movimientos se producen en el HABER (se abonan siempre)
excepto algunas excepciones.

3.4. LOS PRINCIPIOS CONTABLES

El P.G.C., en su primera parte (Marco Conceptual) enumera una serie de **criterios** que debe cumplir la información contenida en las cuentas anuales. Estos son:

- **Relevancia:** la información debe ayudar a evaluar sucesos pasados, presentes o futuros y debe ser útil para la toma de decisiones económicas. En este sentido, las cuentas anuales deben mostrar adecuadamente los riesgos a los que se enfrenta la empresa.
- **Fiabilidad:** la información debe estar libre de errores materiales y ser neutral, o sea, libre de sesgos, de manera que los usuarios puedan confiar en que es la imagen fiel lo que se pretende representar.

La idea de ofrecer siempre la **imagen fiel** es el eje vertebrador del marco conceptual del P.G.C. Para ello, se fundamenta en una serie de principios:

1. **Empresa en funcionamiento**: se considerará la gestión de la empresa como indefinida en el tiempo, de manera que la contabilidad no reflejará el patrimonio con objeto de transmitirlo o liquidarlo.
2. **Devengo**: los efectos de las transacciones o de los hechos económicos se registrarán cuando ocurran, con independencia de cuando se realice su cobro o su pago.
3. **Uniformidad**: una vez adoptado un criterio dentro de las alternativas legalmente establecidas, este se mantendrá en el tiempo, a no ser que para representar la imagen fiel sea conveniente cambiarlo, hecho que se reflejará oportunamente en la memoria.
4. **Prudencia**: se debe ser prudente en las estimaciones y valoraciones, aunque esta prudencia no justifica una valoración que no responda a la imagen fiel.
5. **No compensación**: no podrán compensarse las partidas de activo con las de pasivo, ni las de gastos con las de ingreso.
6. **Importancia relativa**: se admite la no aplicación estricta de algunos criterios y principios cuando la importancia relativa en términos cuantitativos y cualitativos del hecho sea escasamente significativa.

EJERCICIO 3.1

Asigna el código correspondiente a cada una de las siguientes cuentas, e indica dónde aparecerán en el balance.

Caja, euros
Bancos, c/c, vista, euros
Clientes
Proveedores
Deudas a largo plazo con entidades de crédito
Deudas a corto plazo con entidades de crédito
Créditos a corto plazo
Créditos a largo plazo
Materias primas
Reserva legal
Maquinaria
Mobiliario
Elementos de transporte
Deudores
Acreedores por prestaciones de servicios

Nota 1: en contabilidad, se denomina deuda cuando la empresa tiene la obligación de pagar, caso de préstamos recibidos. Cuando hablamos de «créditos» es el caso contrario. Son un derecho de cobro, como en el caso de préstamos concedidos a terceros.

Nota 2: existen unas cuentas específicas para casos de empresas del grupo, multigrupo y asociadas (partes vinculadas). En este libro de texto no utilizaremos esas cuentas.

Nota 3: la cuenta «Bancos, c/c, vista, euros» se refiere a cuentas corrientes, que son las más utilizadas por la empresa. Para el caso de cuentas de ahorro (instrumentalizadas en libretas o cartillas de ahorro) existe la cuenta «Bancos, cuentas de ahorro, euros».

Nota 4: la cuenta «Deudores» indica un derecho de cobro. Es similar a clientes, pero debemos distinguirlas, ya que no indican una relación comercial objeto de la actividad de la empresa. La cuenta «Acreedores por prestaciones de servicios» son obligaciones de pago, al igual que ocurre con «Proveedores», pero se distinguen porque «Acreedores» se refiere a deudas por servicios externos recibidos, como pueden ser: electricidad, agua, telefonía, profesionales independientes, etc.

EJERCICIO 3.2

Dadas las siguientes cuentas, asignar un código a cada una y confeccionar un balance, analizando la información en él presentada.

a) Construcciones..........................80.000,00
    Caja, euros.................................5.000,00
    Bancos, c/c vista, euros..............6.000,00
    Deudas a largo plazo..................5.000,00
    Créditos a largo plazo 4.000,00
    Maquinaria.................................8.000,00
    Proveedores...............................21.000,00
    Mercaderías.................................8.000,00
    Capital social............................84.000,00
    Reserva legal..............................1.000,00

b) Bancos c/c vista, euros...............5.000,00
    Créditos a corto plazo 2.000,00
    Clientes 6.000,00
    Materias Primas 4.000,00
    Maquinaria.................................6.000,00
    Mobiliario 2.000,00
    Construcciones.........................71.000,00
    Deudas a largo plazo
    con entidades crédito................10.000,00
    Deudas a corto plazo..................5.000,00
    Acreedores por
    prestaciones servicios.................1.000,00
    Proveedores................................8.000,00
    Capital social............................68.000,00
    Reserva legal..............................1.000,00
    Reservas voluntarias 3.000,00

EJERCICIO 3.3 RESUELTO

Dadas las siguientes cuentas, asignar un código a cada una y confeccionar un balance, analizando la información en él presentada.

Reserva legal 3.000,00
Reservas voluntarias 5.000,00
Bancos 5.000,00
Créditos a corto plazo 2.000,00
Clientes 7.000,00
Materias Primas 4.000,00
Productos terminados 10.000,00
Maquinaria 16.000,00
Mobiliario 2.000,00
Construcciones 70.000,00
Deudas a largo plazo
con entidades crédito 14.000,00
Deudas a corto plazo 5.000,00
Acreedores por
prestaciones servicios 1.000,00
Proveedores 8.000,00
Capital social 80.000,00

SOLUCIÓN EJERCICIO 3.3

BALANCE

ACTIVO		PASIVO	
70.000,00	Construcciones (211)	Capital social (100)	80.000,00
16.000,00	Maquinaria (213)	Reserva legal (112)	3.000,00
2.000,00	Mobiliario (216)	Reservas volunt. (113)	5.000,00
4.000,00	Materias Primas (310)	Deudas a largo plazo con	
10.000,00	Productos term. (350)	entid. crédito (170)	14.000,00
7.000,00	Clientes (430)	Proveedores (400)	8.000,00
2.000,00	Crédit. corto pl. (542)	Acreedores por prestaciones	
5.000,00	Bancos (572)	servicios (410)	1.000,00
		Deud. corto plazo (521)	5.000,00

116.000,00	116.000,00

La empresa tiene unas deudas totales a corto plazo (PASIVO CORRIENTE) de 14.000,00 € (Proveedores, Acreedores y Deudas a corto plazo). Su ACTIVO CORRIENTE suma 28.000,00 € (Materias Primas, Productos Terminados, Clientes, Créditos a corto plazo y Bancos). Podríamos decir que la situación no es cómoda, ya que dispone en efectivo únicamente de 5.000,00 € (Bancos), aunque es previsible que pueda realizar los pagos adecuadamente, ya que el ACTIVO CORRIENTE duplica al PASIVO CORRIENTE. Para ello, debe cobrar los saldos de clientes y vender productos terminados. Todo dependerá de en qué momento recuperará efectivo y de cuándo ha de realizar los pagos. Si los pagos debe realizarlos en muy breve plazo de tiempo, podría sufrir desajustes de tesorería que podría solucionar solicitando un préstamo a un plazo suficiente como para poder atenderlo con las ventas y los cobros.

TEMA 4: COMPRAS Y GASTOS

4.1. CONCEPTO DE GASTO
4.2. COMPRAS DE EXISTENCIAS
    4.2.1. Contabilización de las compras
    4.2.2. Envases a devolver a proveedores
4.3. GASTOS POR SERVICIOS EXTERIORES
4.4. GASTOS DE PERSONAL

4.1. CONCEPTO GASTO

El Plan General Contable reserva en el Cuadro de Cuentas el Grupo 6 para los **gastos.**

Se considera **gasto** aquella parte de los recursos destinados a obtener o adquirir elementos consumibles, o sea, aquello que se consumirá en un plazo inferior a 1 año, y las pérdidas producidas en un ejercicio económico. Por ejemplo, es gasto el consumo eléctrico, la utilización de las líneas telefónicas, los salarios devengados de los empleados, los servicios prestados por otras empresas o personas ajenas a la empresa, el consumo de materias primas para restauración, el consumo de productos de limpieza, los alquileres de locales o almacenes, etc.

Hemos de hacer notar que gasto no es lo mismo que pago. Puede producirse un gasto en un momento y realizar el pago en otro momento distinto. Pero contabilizaremos el gasto en el momento en que se produzca, no cuando se pague.

Todas las cuentas de gasto se contabilizan en el debe del asiento, siempre.

4.2. COMPRAS DE EXISTENCIAS

4.2.1. Contabilización de las compras

La cuenta **600 «Compras de mercaderías»** recoge las compras de productos terminados que realiza la empresa para su reventa. Otras cuentas relacionadas con ella son:

- **601 Compras de materias primas**: se utiliza para la adquisición de productos que requerirán una transformación para poder venderlos.
- **602 Compras de otros aprovisionamientos**: adquisición de cualquier otro producto o elemento consumible e inventariable (envases, embalajes, precintos, etiquetas, etc.)
- **607 Trabajos realizados por otras empresas**: trabajos de transformación de materias primas que otras empresas hagan y que no supongan la incorporación de más productos, sino de trabajo (máquina, hombre).

Todas ellas son cuentas de gastos, con lo que **siempre** aparecerán en el DEBE del asiento.

Si se pagaran en el momento de realizar la compra, la contrapartida será la cuenta 570 «Caja» o bien la 572 «Bancos».

Compras de mercaderías (600)	a Bancos ó Caja

Pero si no se pagan y tampoco se especifica un documento de pago concreto, utilizaremos como contrapartida la cuenta 400 «Proveedores»

Compras de mercaderías (600)	a Proveedores (400)

Puede ocurrir que la forma de pago sea mediante un efecto comercial (letra de cambio o pagaré). En ese caso, la contrapartida será la cuenta 401 «Proveedores, efectos comerciales a pagar».

Compras de mercaderías (600)	a Proveedores, efectos comerciales a pagar (401)

En la práctica empresarial es frecuente encontrar que, aún pagándose las compras por caja o bancos, aparezca primero en la cuenta de proveedores, para, a continuación, pagar la deuda. Esto cobra sentido si se pretende dejar constancia en la cuenta del proveedor el movimiento realizado. Para nuestros ejercicios no tendremos en cuenta esta observación con objeto de simplificar las operaciones.

Las cuentas 601, 602 y 607 funcionan de la misma manera.

Ejemplo:

1. Compramos 3.000,00 € en mercaderías y pagamos con cheque.

2. Compramos 2.000,00 € en materias primas y pagaremos en unos días.

3. Compramos 1.000,00 € en bolsas para empaquetar nuestros productos y entregamos un pagaré por el total.

4. Otra empresa realiza una serie de trabajos para acabar ciertos productos y nos factura 3.000,00 €. Pagamos 1.000,00 € con cheque y el resto con un pagaré.

5. Pagamos por bancos el pagaré anterior.

Solución:

1.

3.000,00 Compras mercaderías (600)	
a Bancos (572)	3.000,00

2.

2.000,00 Compras materias primas (601)	
a Proveedores (400)	2.000,00

3.

1.000,00 Compras otros aprovisionamientos (602)	
a Proveedores, efectos a pagar (401)	1.000,00

4.

3.000,00 Trabajos realizados por otras empresas (607)	
a Proveedores, efectos a pagar (401)	2.000,00
Bancos (572)	1.000,00

5.

2.000,00 Proveedores, efectos a pagar (401)	
a Bancos (572)	2.000,00

Otras cuentas que intervienen en el proceso de compra son:

- **606 Descuentos sobre compras por pronto pago**: según la política de precios de algunos proveedores, pueden aparecer descuentos por adelantar el pago de las compras. En ese caso, contabilizaremos los descuentos de este tipo en la cuenta mencionada.
- **608 Devoluciones de compras y operaciones similares**: se utiliza para contabilizar las devoluciones que haga la empresa, bien de mercaderías, de materias primas o de otros aprovisionamientos, y para contabilizar los descuentos comerciales posteriores al cierre de la compra.
- **609 *Rappels* por compras**: rappel es un descuento por volumen. En esta cuenta aparecerán todos aquellos descuentos que hagan los proveedores por volumen de compras.

Todas estas cuentas aparecen siempre en el HABER del asiento, siendo su contrapartida las mismas cuentas que utilizamos en el proceso de compra («Caja», «Bancos», «Proveedores», y muy excepcionalmente «Proveedores, efectos comerciales a pagar»). Pero si los descuentos aparecen en factura, se deducirán del valor de las compras.

Ejemplo:

1. Compramos 3.000,00 € en mercaderías, con un descuento comercial de 200,00 € y un *rappel* aplicado en factura de 300,00 €. Pagamos con cheque.

2. Un proveedor nos concede un rappel de 100,00 € que cobramos con un cheque.

3. Cierto proveedor al que debemos 2.000,00 € decidimos pagarle con un cheque antes de la fecha prevista. Por ello, el proveedor nos concede un descuento por pronto pago de 50,00 €.

Solución:

1.

2.500,00	Compras de mercaderías (600)	
	a Bancos (572)	2.500,00

Los descuentos se deducen de la cantidad comprada porque están incluidos en factura.

2.	
100,00 Bancos (572)	
a *Rappels* por compras (609)	100,00

Ahora si aparece la cuenta del descuento porque corresponde a una factura rectificativa (un abono) y no está incluido en ninguna factura de compra.

3.	
2.000,00 Proveedores (400)	
a Descuentos pronto pago compras (606)	50,00
Bancos (572)	1.950,00

Vemos que anulamos la cuenta del proveedor por la deuda total, aunque el pago sea inferior. Si no fuera así, quedaría un saldo impagado. Por ese motivo, la diferencia entre lo pagado (bancos) y lo cancelado (proveedores) aparecerá en la cuenta del descuento.

Otra cuenta que interviene en nuestra relación con los proveedores es:

- **407 «Anticipos a proveedores»**

Es una cuenta que implica DERECHO para la empresa, ya que se anticipa dinero antes de realizar la compra. Es, por tanto una cuenta de ACTIVO CORRIENTE. En el momento en que se entrega el anticipo, aparecerá en el DEBE del asiento

Anticipos a proveedores (407)	a Bancos ó Caja

Cuando se recupere el anticipo, aparecerá en el HABER del asiento, para anularlo. Habitualmente, se aplicará cuando se realice la compra

Compras de mercaderías (600)	
a Anticipos a proveedores (407)	
a Proveedores	

Ejemplo:

1. Un proveedor nos concede un *rappel* de 200,00 € y lo dejamos como anticipo de futuras compras
2. Compramos al proveedor anterior 2.000,00 en materias primas, con un descuento de promoción de 300,00 €, para pagar a 90 días mediante cheque bancario, aplicando el anticipo.
3. Pagamos con cheque al proveedor anterior a los 10 días de la compra, con lo que nos concede un descuento por pronto pago de 100,00 €

Solución:

1.

200,00 Anticipos a proveedores (407)	
a *Rappels* por compras (609)	200,00

2.

1.700,00 Compras de materias primas (601)	
a Anticipo a proveed. (407)	200,00
Proveedores (400)	1.500,00

Cualquier descuento en factura se descuenta de la compra.

3.

1.500,00 Proveedores (400)	
a Desc. compras p.p. (606)	100,00
Bancos (572)	1.400,00

Aparece el descuento porque es fuera de factura.

4.2.2. Envases a devolver a proveedores

En ocasiones, ciertas empresas reciben, junto con la mercancía comprada, envases o embalajes que han de ser devueltos a los proveedores. La cuenta **406 Envases y embalajes a devolver a proveedores** recoge este hecho. Estos envases figuran en la misma factura de compra y nos los han de descontar de nuestra deuda cuando se devuelvan. De esta forma, un asiento de compras de mercaderías con envases quedaría como sigue:

Compras de mercaderías (600)
Envases y embalajes a devolver a proveedores (406)
                    a Proveedores (400)

Cuando se devuelvan los envases, haremos el siguiente asiento

Proveedores (400)
                    a Envases y embalajes a devolver a proveedores (406)

Pero en ocasiones, bien por extravío, rotura o robo, bien porque los necesitamos, los envases no se devuelven, con lo que se produce una compra de envases. Si eso ocurre, haremos el asiento siguiente:

Compras de otros aprovisionamientos (602)
                    a Envases y embalajes a devolver a proveedores (406)

Ejemplo:

1. Compramos 10.000,00 € en mercaderías y el proveedor nos incluye en factura envases a devolver por 1.500,00 €. Pagamos la compra con cheque.

2. Devolvemos 1.000,00 € en envases.

3. El resto de envases decidimos comprarlos.

4. Pagamos al proveedor el saldo pendiente con cheque.

Solución:

1.

10.000,00 Compras de mercaderías (600)		
1.500,00 Envases y emb. a devolver a prov. (406)		
a Bancos (572)	10.000,00	
Proveedores (400)	1.500,00	

2.

1.000,00 Proveedores (400)	
a Envases y emb. a devolver a prov. (406)	1.000,00

3.

500,00 Compra de otros aprovisionamientos (602)	
a Envases y emb. a devolver a prov. (406)	500,00

4.

500,00 Proveedores (400)	
a Bancos (572)	500,00

4.3. GASTOS POR SERVICIOS EXTERIORES

Son un conjunto de gastos generales de la empresa de muy diversa índole, necesarios para realizar las gestiones, excluyendo de aquí los gastos financieros, que aparecen en otro subgrupo.

Están contenidos en el subgrupo 62 y son los siguientes:

- **620 Gastos en investigación y desarrollo del ejercicio**: son los gastos en I+D realizados en la empresa, encargados a otras instituciones.

- **621 Arrendamientos y cánones:** incluye los alquileres de inmuebles y de bienes muebles (maquinaria, vehículos) así como el uso de nombres y marcas comerciales, por ejemplo el canon de una franquicia.

- **622 Reparaciones y conservación:** gastos de mantenimiento en general.

- **623 Servicios de profesionales independientes:** incluye gastos de notarios, abogados, asesores, representantes independientes, etc.

- **624 Transportes:** son gastos de transporte de la mercancía vendida, porque los gastos de transporte de las compras se incluyen en la cuenta 600 Compras de Mercaderías.

- **625 Primas de seguros:** gastos anuales de las pólizas de seguros.

- **626 Servicios bancarios y similares:** gastos por comisiones bancarias. Aquí no se incluyen los intereses.

- **627 Publicidad, propaganda y relaciones públicas:** gastos publicitarios, incluyendo comidas con clientes y proveedores, fiestas de inauguración, etc.

- **628 Suministros:** se incluyen aquí los gastos por electricidad, agua, gas, combustible, etc.

- **629 Otros servicios:** cualquier otro no incluido anteriormente, como gastos de teléfono, envío de burofax, etc.

Todas son cuentas de gastos y por tanto aparecen siempre en el DEBE del asiento. Su contrapartida podrá ser «Caja», «Bancos» o la cuenta 410 «Acreedores por prestaciones de servicios» en caso, este último, de no pagarlos.

Subgrupo 62	a	Bancos
		Caja
		Acreedores por prestaciones de servicios (410)

Se deben contabilizar en el ejercicio donde se produzca el gasto, independientemente del momento del pago.

Ejemplo:

1. Un abogado nos pasa la minuta por sus servicios que asciende a 600,00 €. Pagaremos en breve.

2. Por reparaciones de fontanería pagamos por caja 300,00 €

3. Un transportista nos pasa su factura por transportes de mercancía de una venta, que asciende a 200,00 €. Pagaremos antes de una semana.

4. Pagamos con cheque la factura del transporte.

5. Pagamos por bancos la factura de transporte de unas compras, importe 400,00 €

Solución:

1.

600,00 Servicios prof. indep. (623)	
a Acreed.prest. serv. (410)	600,00

2.

300,00 Reparaciones y conserv. (622)	
a Caja (570)	300,00

3.

200,00 Transportes (624)	
a Acreed. prest. serv. (410)	200,00

4.

200,00 Acreed. prest. serv. (410)	
a Bancos (572)	200,00

5.

400,00 Compras de mercaderías (600)	
a Bancos (572)	400,00

4.4. GASTOS DE PERSONAL

Los gastos que se refieren al personal de la empresa los encontramos en el subgrupo 64 del cuadro de cuentas:

- **640 Sueldos y salarios**: es el salario bruto (o sea, sin retenciones de ningún tipo) que perciben los empleados.

- **641 Indemnizaciones**: son las indemnizaciones debidas a despidos, accidentes por negligencia de la empresa, etc.

- **642 Seguridad Social a cargo de la empresa**: es la parte de las cuotas a la Seguridad Social que corren por cuenta de la empresa.

- **649 Otros gastos sociales**: son otro tipo de gastos que corren por cuenta de la empresa en beneficio de los empleados, como podrían ser servicios de guardería, comedores, etc.

Todas estas cuentas se anotarán en el DEBE del asiento de salarios, ya que son los gastos que le supone a la empresa el mantenimiento de la plantilla.

Como contrapartida, tenemos que la empresa retiene en la nómina de los empleados diversas cantidades tanto a cuenta del I.R.P.F. de los mismos como para pagar las cuotas a la Seguridad Social, ya que hay una parte que corre por cuenta de los asalariados. Para anotar estos conceptos tenemos que utilizar, en el HABER del asiento, las siguientes cuentas:

- **4751 Hacienda Pública, acreedor por retenciones practicadas**.

- **476 Organismos de la Seguridad Social, acreedores**.

Ambas cuentas representan deudas de la empresa para con Hacienda y la Seguridad Social. La deuda con Hacienda se liquidará con el modelo 110 y la deuda con la Seguridad Social con el modelo TC1, donde se recoge tanto la parte de cuota correspondiente a los trabajadores como la parte correspondiente a la empresa. Por ello, si conocemos el importe total del TC1 y la parte de cuota a la Seguridad Social correspondiente a los empleados, podemos obtener la cuota de la empresa, que figurará en la cuenta «Seguridad Social a cargo de la empresa» (642), por diferencia entre el TC1 y la cuota de los empleados.

Entonces solo nos quedaría anotar en el asiento contable la cantidad neta a pagar a los empleados, para lo cual podemos utilizar las cuentas de Caja y Bancos, o en el caso de no pagar los sueldos cuando se contabilizan, utilizamos la cuenta 465 «Remuneraciones pendientes de pago».

Con todo ello, el asiento de los gastos de personal quedaría como sigue:

Gastos de personal (cuentas del subgrupo 64)
                         a H.P. acreedora por retenciones (4751)
                         O.S. Social, acreedores (476)
                         Caja (570)
                         Bancos (572)
                         Remuneraciones ptes. pago (465)

Ejemplo:

1. Los datos de la nómina del mes son: sueldos brutos, 6.000,00 €; Seguridad Social a cargo de los trabajadores, 380,00 €; retenciones IRPF, 600,00 €; deuda total a la Seguridad Social (TC1), 1.900,00; se paga con cheques 2.000,00 € y el resto queda pendiente.

2. La empresa paga por bancos una indemnización a un empleado por 500,00 €.

Solución:

1.

6.000,00 Sueldos y salarios (640)	
1.520,00 Seguridad Social a C/ empresa (642)	
a H.P. acreedora por retenciones (4751)	600,00
Organismos S. Social, acreedores (476)	1.900,00
Bancos (572)	2.000,00
Remuneraciones ptes. pago (465)	3.020,00

Hemos calculado la cuota a la seguridad de la empresa (642) por diferencia entre el TC1 y la cuota de los empleados (1.900,00 – 380,00). Las remuneraciones pendientes de pago se calculan para que el asiento cuadre. Además, es conveniente realizar una comprobación adicional: los empleados cobran un bruto de 6.000,00 €, a los que hay que deducir 600,00 por retenciones de IRPF y 380,00 € por cuotas a la Seguridad Social. Por tanto, han de cobrar 5.020,00 € (6.000,00 – 600,00 – 380,00). Como se les ha pagado 2.000,00 € con cheque, queda pendiente de pago 3.020,00 € (5.020,00 – 2.000,00).

2.

500,00 Indemnizaciones (641)	
a Bancos (572)	500,00

Posteriormente, cuando se paguen las remuneraciones pendientes, esta cuenta pasará al DEBE y Bancos o Caja al HABER. Al igual ocurrirá con las deudas a la Seguridad Social (que se pagan 30 días después) y de Hacienda (que se pagan en los 20 días posteriores a cada trimestre natural, o sea, 20 de abril, 20 de julio, 20 de octubre y 20 de enero).

Puede ocurrir que la empresa entregue anticipos a los empleados. En este caso, se utiliza la cuenta 460 «Anticipos de remuneraciones», colocándola en el DEBE, y Caja o Bancos en el HABER:

Anticipos de Remuneraciones (460)	a	Caja ó Bancos

Cuando se contabilice la nómina, la cuenta 460 formará parte del HABER del asiento de gastos de personal, disminuyendo así la cantidad a pagar a los empleados.

Ejemplo:

1. Se entrega un anticipo a unos empleados con cheque, por un total de 1.000,00 €.

2. Los datos de la nómina del mes son: sueldos brutos, 4.000,00 €; Seguridad Social a cargo de los trabajadores, 250,00 €; retenciones IRPF, 500,00 €; deuda total a la Seguridad Social (TC1), 1.250,00; se paga con cheques 1.500,00 €, se aplica el anticipo anterior y el resto queda pendiente.

Solución:

1.

1.000,00 Anticipos de remuneraciones (460)	
a Bancos (572)	1.000,00

2.

4.000,00 Sueldos y salarios (640)	
1.000,00 Seguridad Social a C/ empresa (642)	
a H.P. acreedora por retenciones (4751)	500,00
Organismos S. Social, acreedores (476)	1.250,00
Bancos (572)	1.500,00
Anticipos remuneraciones (460)	1.000,00
Remuneraciones ptes. pago (465)	750,00

En el caso de bajas de empleados por enfermedad o accidente, si la Seguridad Social corre con una parte de los gastos, la empresa es la encargada de pagar al trabajador en lo que se conoce como **pago delegado**, descontando esta cantidad de la cuota a la Seguridad Social. En este caso, se contabiliza como gasto (Sueldos y Salarios) solo la parte de sueldos que le corresponde a la empresa, anotándose la parte que paga la Seguridad Social en la cuenta 471 «Organismos de la Seguridad Social, deudores», que aparece en el DEBE. Esta cuenta se compensará en el TC1 con la cuenta 476 «Organismos de la Seguridad Social, acreedores».

Ejemplo:

1. Los datos de la nómina del mes son: sueldos brutos, 8.000,00 €; pago delegado por baja de empleados, 1.000,00 €; Seguridad Social a cargo de los trabajadores, 550,00 €; retenciones IRPF, 800,00 €; deuda total a la Seguridad Social (TC1), 2.450,00; se paga por caja 2.500,00 € y el resto queda pendiente.

2. La empresa paga por bancos el TC1.

Solución:

1.

8.000,00 Sueldos y salarios (640)	
1.000,00 Organ. Seg. Social deudores (471)	
1.900,00 Seguridad Social a C/ empresa (642)	
a H.P. acreedora por retenciones (4751)	800,00
Organismos S. Social, acreedores (476)	2.450,00
Caja (570)	2.500,00
Remuneraciones ptes. pago (465)	5.150,00

2.

2.450,00 Organ. Seg. Social acreedores (476)	
a Organ. Seg. Social deudores (471)	1.000,00
Bancos (572)	1.450,00

El asiento de gastos de personal debe realizarse el último día del mes.

Todo lo visto hasta aquí con respecto a los gastos de personal ha sido considerando que se conoce, al momento de realizar el asiento, el importe del TC1. Pero este TC1 se pagará al finalizar el mes siguiente al que corresponden las nóminas. Es, por tanto, muy frecuente que se deba realizar el asiento de gastos de personal sin contar con este dato. En este caso, no aparecerá la cuenta 642 «Seguridad Social a cargo de la empresa». Las deducciones por Seguridad Social a cuenta de los empleados sí figurará en la cuenta 476 «Organismos de la Seguridad Social, acreedores».

Cuando se conozca el importe del TC1, se realizará el siguiente asiento, deduciendo la parte de los empleados.

Segur. Soc, a cargo empresa (642)	
a	Org. Seg. Soc. acreedores (476)

De esta forma, la cuenta 476 recogerá el importe total a pagar en el TC1. Cuando se pague el TC1 haremos el asiento.

Org. Seg. Soc. acreedores (476)	
a	Bancos (572)

Y cuando, trimestralmente, se pague a Hacienda las retenciones (en el modelo 110), haremos el asiento.

H.P. acreed. retenc. practicadas (4751)	
a	Bancos (572)

Ejemplo:

1. Entregamos un anticipo de 300,00 € a un empleado, pagando por caja.

2. Las nóminas del mes reflejan los siguientes datos: sueldos brutos, 12.000,00; Seguridad Social a cargo de los empleados, 750,00; retenciones IRPF, 1.200,00; se aplica el anticipo del punto 1 y se pagará la nómina el día 5 del mes próximo.

3. Se paga la nómina pendiente por bancos.

4. El importe del TC1 es de 3.700,00 €.

5. Se paga por bancos a la Seguridad Social.

Solución:

1.

300,00 Anticipos de remuneraciones (460)	
a Caja (570)	300,00

2.

12.000,00 Sueldos y salarios (640)	
a Org. Seg. Soc. acreed. (476)	750,00
Anticipos de remuneraciones(460)	300,00
H.P. ac. ret. pract. (4751)	1.200,00
Remuner. ptes. pago (465)	9.750,00

3.

9.750,00 Rem. ptes. pago (465)	a Bancos (572)	9.750,00

4.

2.950,00 Seg. Soc. a c/empresa(642)	
a Org. Seg. Soc. acreedores (476)	2.950,00

Como vemos, se deduce la parte que corresponde a los empleados (3.700,00 - 750,00)

5.

3.700,00 Org. Seg. Soc. acreedores (476)
a Bancos (572) 3.700,00

El pago ya será por el importe total.

EJERCICIO 4.1

1. La empresa compra 200,00 € en mercaderías pagándolas por caja.
2. La empresa compra 120,00 € en mercaderías a crédito.
3. La empresa compra 130,00 € en mercaderías pagando la mitad al contado y el resto a crédito.
4. La empresa compra 160,00 € en mercaderías aceptando al proveedor un efecto por el total de la deuda.
5. La empresa paga por bancos el efecto del punto anterior.
6. La empresa paga por caja 50,00 € a los proveedores.
7. La empresa compra 1.000,00 € en mercaderías aceptando un efecto por la mitad y dejando el resto pendiente para la próxima semana.
8. La empresa paga el efecto del punto anterior.
9. La empresa paga el saldo pendiente al proveedor del punto anterior.
10. Recibimos la factura del teléfono, por 40,00 €.
11. Compramos 3.000,00 € en mercaderías, con un descuento de promoción de 100,00 € y un descuento por pronto pago de 150,00 €, que pagaremos en breve.
12. Pagamos por bancos la factura telefónica punto 10.
13. Nuestro abogado nos pasa una factura de 200,00 € por sus servicios.
14. Pagamos por bancos el alquiler del mes, que asciende a 200,00 €.
15. Pagamos por caja la factura de un transporte de compras, que asciende a 50,00 €, y otra factura por un transporte de ventas que asciende a 100,00 €.
16. El recibo de electricidad asciende a 30,00 €.
17. Pagamos por bancos el seguro de la empresa, que asciende a 200,00 €.
18. Por reparar unas puertas, el carpintero nos cobra 100,00 €, que pagamos con cheque de nuestra cuenta corriente en el banco.

EJERCICIO 4.2

1. La nómina del mes contiene los siguientes datos:

   - Sueldos brutos: 2.000,00.
   - TC1: 750,00.
   - Aportación trabajadores a la Seg. Soc.: 150,00.
   - Retenciones IRPF: 300,00.
   - Se paga la nómina por bancos.

2. Contabilizar la siguiente nómina del mes de octubre:

   - Sueldos brutos: 1.000,00.
   - TC1: 400,00.
   - Aportación trabajadores a la Seg. Soc.: 50,00.
   - Retenciones IRPF: 150,00.
   - Se aplica un anticipo ya entregado de 120,00.
   - Se pagan 300,00 € por caja y el resto queda pendiente de pago.

3. Realizar los asientos contables de las nóminas siguientes:

   a) Las nóminas de mayo ofrecen los siguientes datos:

      - Sueldos brutos: 4.000,00.
      - Aportación trabajadores Seg. Social: 250,00.
      - Retenciones IRPF : 400,00.

   b) Posteriormente, nos llega el TC1 por un total de 1.200,00 €.

4. Realizar los asientos contables siguientes:

   a) Se entregan 200,00 € por caja a los empleados como anticipo.
   b) La nómina del mes de noviembre es:

      - Salarios brutos: 3.000,00.
      - TC1: 1.000,00.
      - Aportación trabajadores Seg. Soc.: 200,00.
      - Retenciones IRPF: 400,00.

- Se aplica el anticipo y se paga por bancos 1.500,00 €, quedando el resto pendiente.

c) Se paga los sueldos pendientes por caja.
d) Se paga por bancos 1.000,00 € en concepto de indemnización a un trabajador por accidente ocurrido como consecuencia de negligencia de la empresa.

EJERCICIO 4.3

1. Compras de mercaderías por 20.000,00 €, con un descuento por pronto pago de 1.000,00 € y además se incluyen en factura envases a devolver por 2.000,00 €. Se paga la compra por bancos y los envases quedan pendientes.

2. Un proveedor nos concede un *rappel* de 2.000,00 € que consideramos como anticipo de futuras compras.

3. Se devuelven 1.500,00 € en envases de los del punto 1. El resto decidimos comprarlos.

4. Pagamos por bancos los envases del punto 3.

5. Compramos al proveedor del punto 2 un total de 8.000,00 € en materias primas, con un descuento de promoción de 1.000,00 €, aplicando el anticipo y pagando por bancos el resto.

6. El abogado nos pasa una factura por sus servicios que asciende a 1.000,00 €. Aún no hemos pagado.

7. El alquiler de la nave industrial suma 3.000,00 €, que pagamos por bancos.

8. Pagamos por bancos al abogado del punto 6.

9. Las nóminas del mes presentan los siguientes datos: salario bruto, 15.000,00; aportaciones a la Seguridad Social por parte de los empleados, 1.000,00; retenciones IRPF, 1.500,00. Se paga por bancos 5.000,00 € y el resto queda pendiente.

10. Pagamos las nóminas pendientes por bancos.

11. El TC1 de las nóminas suma 4.500,00 €.

EJERCICIO 4.4 RESUELTO

1. Entregamos 2.000,00 € de anticipo a un proveedor a través de una transferencia bancaria.
2. Compras de materias primas por 10.000,00 € al proveedor anterior, con un descuento de temporada de 1.000,00 € y además se incluyen en factura envases a devolver por 500,00 €. Aplicamos el anticipo del punto 1. Se pagará el resto más adelante.
3. Devolvemos 2.000,00 € en materias primas al proveedor anterior por estar en mal estado.
4. Se devuelven 300,00 € en envases de los del punto 2. El resto se ha deteriorado y debemos quedárnoslos.
5. Pagamos al proveedor anterior toda la deuda por bancos y nos aplica un descuento por pronto pago de 250,00 €.
6. Un asesor nos pasa una factura por sus servicios que asciende a 500,00 €. Pagaremos el mes próximo.
7. Pagamos por bancos al asesor del punto 6.
8. Las nóminas del mes presentan los siguientes datos: salario bruto, 25.000,00; aportaciones a la Seguridad Social por parte de los empleados, 1.500,00; retenciones IRPF, 2.000,00. Se paga por bancos 10.000,00 € y el resto queda pendiente.
9. Pagamos las nóminas pendientes por caja.
10. El TC1 de las nóminas suma 7.500,00 €.

SOLUCIÓN EJERCICIO 4.4

1.

2.000,00 Anticipo proveedores (407)		
	a Bancos (572)	2.000,00

2.

9.000,00 Compras de materias primas (601)		
500,00 Envases y emb. a dev. a prov. (406)		
	a Anticipo proveedores (407)	2.000,00
	Proveedores (400)	7.500,00

3.

2.000,00 Proveedores (400)		
	a Devoluciones de compras (608)	2.000,00

4.

200,00 Compras de otros aprovisionamientos (602)		
300,00 Proveedores (400)		
	a Envases y emb. a dev. a prov. (406)	500,00

5.

5.200,00 Proveedores (400)		
	a Descuentos compras pronto pago (606)	250,00
	Bancos (572)	4.950,00

6.

500,00 Servicios de profesionales independientes (623)		
	a Acreedores por prestaciones de servicios (410)	500,00

7.

500,00 Acreedores por prestaciones de servicios (410)		
	a Bancos (572)	500,00

8.

25.000,00 Sueldos y salarios (640)	
a Org. Seg. Social acreedores (476)	1.500,00
H.P. acreed. ret. pract. (4751)	2.000,00
Bancos (572)	10.000,00
Remun. ptes. de pago (465)	11.500,00

9.

11.500,00 Remun. ptes. pago (465)	
a Caja (570)	11.500,00

10.

6.000,00 Seg. Soc. a c/ empresa (642)	
a Org. Seg. Soc. acreedores (476)	6.000,00

Solo se contabiliza por la diferencia entre el total del TC1 y lo ya contabilizado (7.500,00 – 1.500,00)

TEMA 5: VENTAS E INGRESOS

5.1. CONCEPTO DE INGRESO
5.2. VENTAS DE EXISTENCIAS Y SERVICIOS
 5.2.1. Contabilización de las ventas
 5.2.2. Envases a devolver por clientes
5.3. OTROS INGRESOS DE GESTIÓN

5.1. CONCEPTO DE INGRESO

El Plan General Contable reserva en el Cuadro de Cuentas el Grupo 7 para los **ingresos**.

Será ingreso todo aumento de recursos obtenido como consecuencia de la venta de productos comerciales o por la prestación de servicios, habituales o no, además de los beneficios producidos en un ejercicio económico.

Al igual que con los gastos, debemos distinguir entre ingreso y cobro. Contabilizaremos el ingreso en el momento en que se produzca, independientemente del momento en que se cobre.

Todas las cuentas de ingreso se contabilizan en el haber del asiento.

Posteriormente, por diferencia entre ingresos y gastos, podremos conocer el beneficio de la empresa en el período contable.

5.2. VENTAS DE EXISTENCIAS Y SERVICIOS

5.2.1. Contabilización de las ventas

La cuenta 700 «Ventas de mercaderías» recoge las ventas de productos comerciales sin transformación realizadas por la empresa.

Otras cuentas relacionadas con las ventas son:

- **701 Ventas de productos terminados**: cuando una materia prima se ha transformado en producto disponible para la venta, utilizaremos esta cuenta para contabilizar la operación.

- **702 Ventas de productos semiterminados**: productos semiterminados son aquellos que aún no han sido totalmente acabados. Si la empresa se dedica a vender, por ejemplo, mesas sin barnizar, no vende productos semiterminados sino terminados. Esas mesas sin barnizar serían productos semiterminados si lo habitual fuera venderlas ya barnizadas.

- **703 Ventas de subproductos o residuos:** son las ventas de elementos desechables, como virutas, trozos de madera o componentes químicos sobrantes.

- **704 Ventas de envases y embalajes**: utilizaremos esta cuenta siempre que la empresa no se dedique, como objeto de su negocio, a la venta de envases o embalajes. En ese caso, utilizaríamos la cuenta 701.

- **705 Prestaciones de servicios**: las empresas de servicios no venden, habitualmente, mercaderías, sino que prestan servicios. Por tanto, en ese tipo de empresas no utilizaremos las cuentas de Ventas sino la de Prestaciones de Servicios. Es el caso de la mayoría de empresas turísticas, despachos de abogados, asesores, etc.

Estas cuentas representan ingresos, con lo que **siempre** aparecen en el HABER del asiento.

Si las ventas o los servicios prestados se cobran en el momento de realizarlos, la contrapartida será la cuenta 570 «Caja» o bien la 572 «Bancos».

Bancos o Caja	a Ventas de mercaderías (700)

Pero si realizamos las ventas a crédito y no especificamos el documento de cobro, utilizaremos como contrapartida la cuenta 430 «Clientes», o la 431 «Clientes, efectos comerciales a cobrar» en caso de documentar el cobro en un efecto comercial (letra de cambio o pagaré).

Clientes (430)

o

Clientes, efectos comerciales
a cobrar (431)

a Ventas de mercaderías (700)

En la práctica empresarial es frecuente encontrar que, aun cobrándose las ventas por caja o bancos, aparezca primero en la cuenta de clientes, para, a continuación, liquidarla con caja o bancos. Esto cobra sentido si se pretende dejar constancia en la cuenta del cliente el movimiento realizado. Para nuestros ejercicios no tendremos en cuenta esta observación con objeto de simplificar las operaciones.

Las cuentas 701, 702, 703, 704 y 705 funcionan de la misma manera.

Ejemplo:

1. Vendemos 6.000,00 € en mercaderías, cobrando con cheque.

2. Vendemos 5.000,00 € en productos terminados, a crédito.

3. Vendemos 4.000,00 € en productos semiterminados, cobrando con un pagaré.

4. Vendemos 3.000,00 € en subproductos, cobrando en efectivo 1.000,00 y el resto con un cheque.

5. Vendemos 2.000,00 en envases sobrantes (no fabricamos envases), cobrando en efectivo.

6. Entregamos una factura por nuestros servicios por 1.000,00 €, objeto de nuestra actividad, y cobramos con un pagaré.

Solución:

1.

6.000,00 Bancos (572)

a Ventas de mercaderías (700)   6.000,00

2.

5.000,00	Clientes (430)	
	a Ventas productos terminados (701)	5.000,00

3.

4.000,00	Clientes, efectos a cobrar (431)	
	a Ventas productos semiterminados (702)	4.000,00

4.

1.000,00	Caja (570)	
2.000,00	Bancos (572)	
	a Ventas subproductos y residuos (703)	3.000,00

5.

2.000,00	Caja (570)	
	a Ventas de envases y embalajes (704)	2.000,00

6.

1.000,00	Clientes, efectos a cobrar (431)	
	a Prestaciones de servicios (705)	1.000,00

Al igual que ocurría en las compras de mercaderías, podemos encontrar una serie de cuentas que intervienen en el proceso de ventas de la empresa.

- **706 Descuentos sobre ventas por pronto pago**
- **708 Devoluciones de ventas y operaciones similares**
- **709 Rappels sobre ventas**

Todas estas cuentas aparecen en el DEBE del asiento, utilizando como contrapartida las mismas cuentas que en las ventas («Caja», «Bancos», «Clientes», y muy excepcionalmente «Clientes, efectos comerciales a cobrar»). Pero si estos descuentos figuran en la propia factura de venta, se restarán directamente del importe vendido y no aparecerán en el asiento.

Ejemplo:

1. Vendemos 3.000,00 € en mercaderías, con un descuento por pronto pago de 50,00 € y un descuento comercial de 250,00 €, cobrando con cheque.

2. Concedemos un *rappel* a un cliente por 500,00 € y pagamos con cheque.

3. Cobramos por bancos el saldo de un cliente por 2.000,00 € y le aplicamos un descuento por pronto pago de 100,00 €.

Solución:

1.		
2.700,00 Bancos (572)		
	a Ventas de mercaderías (700)	2.700,00

2.		
500,00 *Rappels* por ventas (709)		
	a Bancos (572)	500,00

3.		
100,00 Descuentos ventas pronto pago (706)		
1.900,00 Bancos (572)		
	a Clientes (430)	2.000,00

Otra cuenta que interviene en nuestra relación con los clientes es:

- **438 «Anticipos de clientes»**

Es una cuenta que implica OBLIGACIÓN para la empresa, ya que nos anticipan dinero los clientes antes de realizar la venta. Es, por tanto una cuenta de PASIVO CORRIENTE. En el momento en que se recibe el anticipo, aparecerá en el HABER del asiento

Bancos o Caja	
	a Anticipos de clientes (438)

Cuando se devuelva el anticipo, aparecerá en el DEBE del asiento, para anularlo. Habitualmente, se aplicará cuando se realice la venta

Anticipo de clientes (438)	
Clientes (430)	
	a Ventas de mercaderías (700)

Ejemplo:

1. Concedemos a un cliente un *rappel* de 500,00 € y decide dejarlo como anticipo de futuras compras.

2. Vendemos al cliente anterior 3.000,00 en mercaderías, con un descuento de temporada de 500,00 €, aplicando el anticipo, y hemos de cobrar a 60 días mediante cheque bancario.

3. El cliente anterior nos entrega un cheque a los 10 días, con lo que le concedemos un descuento por pronto pago de 150,00 €.

Solución:

1.

500,00 *Rappels* por ventas (709)	
a Anticipos de clientes (438)	500,00

2.

2.000,00 Clientes (430)	
500,00 Anticipos de clientes (438)	
a Ventas de mercaderías (700)	2.500,00

Cualquier descuento en factura se descuenta de la venta.

3.

150,00 Descuento ventas p.p. (706)	
1.850,00 Bancos (572)	
a Clientes(430)	2.000,00

Aparece el descuento porque es fuera de factura.

5.2.2. Envases a devolver por clientes

Ciertas empresas pueden necesitar incluir envases y embalajes a devolver cuando realizan sus ventas. Estos envases deben ser devueltos por el cliente, pero mientras esto ocurre, habrá que incluirlos en la factura de venta. La cuenta **437 Envases y embalajes a devolver por clientes** recoge este hecho.

De esta forma, un asiento de ventas de mercaderías con envases quedaría como sigue:

Clientes (430)
        a Ventas de mercaderías (700)
        a Envases y embalajes a devolver por clientes (437)

Cuando nos devuelvan los envases, haremos:

Envases y embalajes a devolver por clientes (437)
        a Clientes (430)

Pero en ocasiones, bien por extravío, rotura o robo, bien porque nuestro cliente los necesita, los envases no se devuelven, con lo que se produce una venta de envases. Si eso ocurre, haremos el asiento siguiente:

Envases y embalajes a devolver por clientes (437)
        a Ventas de envases y embalajes (704)

Ejemplo:

1. Vendemos 3.000,00 € en productos terminados, incluyendo en factura 500,00 € de envases retornables. El cliente paga los productos con cheque.

2. El cliente anterior devuelve 400,00 € en envases.

3. El cliente anterior devuelve 200,00 € en productos por recibirlos en mal estado y le reintegramos el dinero con un cheque.

4. El cliente anterior decide quedarse con los envases restantes y los paga por bancos.

Solución:

1.

3.000,00 Bancos (572)
  500,00 Clientes (430)
        a Ventas de productos terminados (701)   3.000,00
        Envases y emb. a dev. por clientes (437)   500,00

2.

400,00	Envases y embalajes a devolver por clientes (437)	
	a Clientes (430)	400,00

3.

200,00	Devoluciones de ventas y operaciones similares (708)	
	a Bancos (572)	200,00

4.

100,00	Envases y embalajes a devolver por clientes (437)	
	a Ventas de envases y embalajes (704)	100,00
100,00	Clientes (430)	
	a Bancos (572)	100,00

5.3. OTROS INGRESOS DE GESTIÓN

Son la versión en ingresos de los gastos por servicios exteriores. Están en el subgrupo 75 y se compone de todos aquellos ingresos por prestaciones de servicios que la empresa realice, siempre que **no sean** el objeto habitual de la explotación.

En concreto, se desglosa en los siguientes ingresos:

- **751 Resultados de operaciones en común:** son beneficios en operaciones conjuntas con otras empresas (asociaciones temporales).

- **752 Ingresos por arrendamientos:** ingresos por alquileres de inmuebles o bienes muebles.

- **753 Ingresos de propiedad industrial cedida en explotación:** ingresos por cánones recibidos al ceder el uso de marcas o patentes a terceros.

- **754 Ingresos por comisiones:** incluye cualquier tipo de comisión por intervenir en las ventas de otras empresas.

- **755 Ingresos por servicios al personal:** cualquier ingreso procedente de prestaciones de servicios al personal, como comedores, guarderías, economatos, etc.

- **759 Ingresos por servicios diversos:** cualquier otro ingreso no incluido anteriormente, como, por ejemplo, servicios de asesoramiento a otra empresa.

Todas ellas son cuentas de ingresos y, por tanto aparecen siempre en el HABER del asiento, siendo su contrapartida «Caja», «Bancos» o la cuenta 440 «Deudores», en caso, este último, que no se cobren.

Bancos	
Caja	
Deudores (440)	a Cuentas del subgrupo 75

Se deben contabilizar en el ejercicio en que se produzcan, independientemente del momento en que se realice el cobro de los mismos.

Ejemplo:

1. Pasamos una factura de alquiler por 600,00 € que aún no hemos cobrado.

2. Cobramos por bancos la factura del alquiler anterior.

3. Prestamos un servicio de asesoramiento que no es objeto habitual de nuestra actividad por importe de 300,00 € que cobramos por caja.

Solución:

1.

600,00 Deudores (440)		
	a Ingresos por arrendamientos (752)	600,00

2.

600,00 Bancos (572)		
	a Deudores (440)	600,00

3.

300,00 Caja (570)		
	a Ingresos serv. diversos (759)	300,00

Utilizamos la cuenta 759 ya que no es objeto de nuestra actividad. Si lo fuera, hubiéramos utilizado la 705 «Prestaciones de servicios».

EJERCICIO 5.1

1. La empresa vende 300,00 € en mercaderías cobrándolas por bancos.

2. La empresa vende 100,00 € en mercaderías a crédito.

3. La empresa vende 150,00 € en mercaderías, cobrando la mitad al contado y el resto a crédito.

4. La empresa vende 200,00 € en mercaderías, aceptando el cliente un efecto por el total de la deuda.

5. La empresa cobra por caja el efecto del punto 4.

6. La empresa cobra por bancos 50,00 € de los clientes.

7. Pasamos a nuestro arrendatario la factura del alquiler del mes, que asciende a 150,00 €.

8. Cobramos por bancos la factura del alquiler del punto anterior.

9. Prestamos un servicio de asesoramiento a una empresa, ajeno a nuestra actividad principal, cobrando por bancos 120,00 €.

10. Prestamos un servicio a otra empresa, objeto de nuestra actividad, que asciende a 300,00 € y cobraremos el mes próximo.

EJERCICIO 5.2

Dado el siguiente balance a 01 de enero:

Caja...100,00
Bancos 1.000,00
Maquinaria 4.000,00
Mobiliario....................................500,00
Mercaderías 8.000,00
Capital Social 4.000,00
Reserva legal 500,00
Deudas a largo plazo 4.000,00
Proveedores.............................5.100,00

Ordenar el balance inicial y contabilizar las siguientes operaciones realizadas durante el ejercicio (con sus mayores):

1. Ventas de mercaderías 18.000,00 € cobrados por Caja.
2. Ventas de mercaderías 1.000,00 € a crédito.
3. Compras de mercaderías 14.000,00 € pagados por Caja.
4. Compras de mercaderías 2.000,00 € a crédito.
5. Se pagan 3.000,00 € a los proveedores del balance.
6. Se concede un *rappel* por ventas de 500,00 €, pagado por caja.
7. Devolvemos 1.000,00 € en mercaderías, cobrando por caja.
8. Concedemos un nuevo descuento de 200,00 € a un cliente cuya venta ya se había contabilizado, pagándole por caja.

EJERCICIO 5.3

1. Ventas de mercaderías por 25.000,00 €, con un descuento por pronto pago de 1.000,00 € y además se incluyen en factura envases a devolver por 3.000,00 €. Se cobra la venta por bancos y los envases quedan pendientes.

2. Concedemos a un cliente un *rappel* de 3.000,00 € que decide dejarlo como anticipo.

3. Nos devuelven 2.000,00 € en envases de los del punto 1. El resto los vendemos.

4. Cobramos por bancos los envases del punto 3.

5. Vendemos al cliente del punto 2 un total de 12.000,00 € en productos terminados, con un descuento de promoción de 1.000,00 €, aplicando el anticipo y cobrando por bancos el resto.

6. Pasamos una factura de servicios de asesoramiento (ajenos a nuestra actividad principal) por 2.000,00 €. Aún no hemos cobrado.

7. Cobramos por bancos 1.000,00 € en comisiones.

8. Cobramos por bancos la factura del punto 6.

EJERCICIO 5.4 RESUELTO

1. Recibimos 3.000,00 € de anticipo de un cliente a través de una transferencia bancaria.
2. Vendemos 10.000,00 € en productos terminados al cliente anterior, con un descuento de temporada de 2.000,00 € y, además, se incluyen en factura envases a devolver por 1.500,00 €. Aplicamos el anticipo del punto 1. Se cobrará el resto más adelante.
3. El cliente anterior nos devuelve 1.000,00 € en productos por estar en mal estado.
4. Nos devuelven 500,00 € en envases de los del punto 2. El resto se los vendemos.
5. Cobramos del cliente anterior el saldo pendiente y aplicamos un descuento por pronto pago de 300,00 €.
6. Pasamos una factura de servicios ajenos a nuestra actividad principal que asciende a 500,00 €. Cobraremos el mes próximo.
7. Cobramos por bancos la factura del punto 6.

SOLUCIÓN EJERCICIO 5.4

1.

3.000,00	Bancos (572)	
	a Anticipos de clientes (438)	3.000,00

2.

6.500,00	Clientes (430)	
3.000,00	Anticipos de clientes (438)	
	a Ventas de productos terminados (701)	8.000,00
	Envases y emb. a dev. por clientes (437)	1.500,00

3.

1.000,00	Devoluciones de ventas (708)	
	a Clientes (430)	1.000,00

4.

1.500,00	Envases y emb. a dev. por clientes (437)	
	a Ventas de envases y emb. (704)	1.000,00
	Clientes (430)	500,00

5.

300,00	Desc. ventas pronto pago (706)	
4.700,00	Bancos (572)	
	a Clientes (430)	5.000,00

6.

500,00	Deudores (440)	
	a Ingresos por servicios diversos (759)	500,00

7.

500,00	Bancos (572)	
	a Deudores (440)	500,00

TEMA 6: EL PROCESO DE CIERRE Y EL CICLO CONTABLE BÁSICO

6.1. LA REGULARIZACIÓN DE EXISTENCIAS

Las cuentas de existencias se recogen en el grupo 3 del cuadro de cuentas. Todo este grupo está reservado a las diferentes cuentas de existencias, y todas ellas funcionan de la misma manera.

Conviene recordar que las empresas comerciales utilizarán, básicamente, la cuenta **300 «Mercaderías»**, ya que no se dedican a transformación. Pero las empresas transformadoras podrán utilizar otras cuentas como la **310 «Materias Primas»**, la **330 «Productos en curso»**, la **340 «Productos semiterminados»** ó **350 «Productos terminados»**.

El beneficio en contabilidad se determina por la diferencia entre los ingresos y los gastos. Pero para ello habrá que tener en cuenta la variación de existencias que ha habido entre el primer y último día del periodo en que se desea determinar el beneficio.

Como sabemos, en las compras y ventas no se utiliza la cuenta de existencias, sino cuentas del grupo 6 y 7. Por esto, al finalizar el ejercicio, la cuenta de existencias seguirá manteniendo el mismo saldo que al inicio del mismo, lo cual no es real.

Entonces, antes de determinar el beneficio habrá que proceder a lo que se llama REGULARIZACIÓN DE EXISTENCIAS.

Esto consiste en anular el saldo inicial de las cuentas de existencias (existencias iniciales) mediante el asiento siguiente:

Variación de existencias (subgrupo 61 y 71)	a Existencias (Cuentas del grupo 3)

y regularizar el nuevo saldo de las mismas (existencias finales) mediante el asiento siguiente:

Existencias (Cuentas del grupo 3)	a Variación de existencias (subgrupo 61 y 71)

El dato de las existencias finales lo conoceremos a través del inventario físico (o mediante aplicaciones informáticas) realizado en la empresa, o sea, mediante el recuento de las existencias.

Ejemplo:

✓ Las existencias a 1 de enero en la empresa, reflejadas en su balance inicial, eran las siguientes: materias primas, 5.000,00 €; productos terminados, 12.000,00 €; envases, 1.000,00 €.

✓ Las existencias finales (a 31 de diciembre), según el inventario realizado, son las siguientes: materias primas, 7.000,00 €; productos terminados, 10.000,00 €; envases, 1.500,00 €.

Solución:

5.000,00 Variación existencias materias primas (611)	
12.000,00 Variación existencias prod. terminados (712)	
1.000,00 Variación existencias otros aprovis. (612)	
a Materias primas (310)	5.000,00
Productos terminados (350)	12.000,00
Envases (327)	1.000,00
7.000,00 Materias primas (310)	
10.000,00 Productos terminados (350)	
1.500,00 Envases (327)	
a Variación existencias materias primas (611)	7.000,00
Variación existencias prod. terminados (712)	10.000,00
Variación existencias otros aprovis. (612)	1.500,00

Los asientos de variación de existencias se deben realizar cuando deseemos conocer el beneficio de la empresa (cada mes, cada trimestre, …), aunque de forma obligatoria cada 31 de diciembre, ya que a esa fecha se calculará el resultado del ejercicio. Como hemos podido comprobar, el primer asiento se realiza por el valor de las existencias iniciales y el segundo por el valor de las existencias finales.

Con la Regularización de Existencias conseguimos dos objetivos:

- Disponer del saldo real de las existencias al final del ejercicio.

- Permitir calcular el resultado contable (mediante las cuentas de Variación de Existencias) teniendo en cuenta la variación sufrida por las existencias entre el principio y el final del ejercicio.

6.2. LA PERIODIFICACIÓN DE GASTOS

Los gastos e ingresos deben ser contabilizados en el momento de su devengo, que no tiene por qué coincidir con el momento del pago o el cobro. Por tanto, en caso de realizar pagos de ciertos gastos que corresponden a ejercicios siguientes, o en caso de cobros de ingresos que corresponden a ejercicios siguientes, hemos de realizar lo que se conoce como «ajustes por periodificación», o sea, ajustes para contabilizar adecuadamente los gastos e ingresos en el ejercicio que correspondan.

Los ajustes por periodificación los encontramos en los subgrupos 48 (por operaciones comerciales) y 56 (por operaciones financieras):

- 480 Gastos anticipados.
- 485 Ingresos anticipados.
- 567 Intereses pagados por anticipado.
- 568 Intereses cobrados por anticipado.

De esta forma, si cobramos algún ingreso o interés a nuestro favor correspondientes al siguiente ejercicio, haremos

Bancos (572) o Caja (570)
            a Ingresos anticipados (485)
            o Intereses cobrados por anticipado (568)

En el ejercicio siguiente, contabilizaremos el mismo en la cuenta de ingreso correspondiente, dando de baja la cuenta de ajuste por periodificación.

Con respecto a los gastos, si pagamos algún gasto o interés correspondiente al siguiente ejercicio, haremos el asiento siguiente:

Gastos anticipados (480)	
ó Intereses pagados por anticipado (567)	
	a Bancos o Caja (572, 570)

En el ejercicio siguiente, contabilizaremos el mismo en la cuenta de gasto correspondiente, dando de baja la cuenta de ajuste por periodificación.

Ejemplo:

1. Pagamos por bancos, en diciembre 200X, 6.000,00 € en concepto del alquiler del local de la empresa correspondiente a enero 200x+1.

2. Cobramos por bancos, el 28 de diciembre 200X, 500,00 € de ingresos por comisiones que realmente corresponden a enero 200X+1.

3. En enero 200x+1 realizamos los ajustes necesarios.

Solución:

1.

6.000,00 Gastos anticipados (480)		
	a Bancos (572)	6.000,00

2.

500,00 Bancos (572)		
	a Ingresos anticipados (568)	500,00

3.

6.000,00 Arrendamientos y cánones (621)		
	a Gastos anticipados (480)	6.000,00

500,00 Ingresos anticipados (568)		
	a Ingresos por comisiones (754)	500,00

6.3. DETERMINACIÓN DEL RESULTADO CONTABLE.

Como sabemos, el resultado contable se obtiene por la diferencia entre los ingresos y los gastos. Para ello, se llevan a la cuenta 129 «Resultados del ejercicio» tanto los ingresos como los gastos.

Se realiza mediante dos asientos:

Resultados del ejercicio (129)	
	a Todas las cuentas de gasto
	(Grupos 6 o 7 con saldo deudor)

Todas las cuentas de ingreso	
(Grupos 6 o 7 con saldo acreedor)	
	a Resultados del ejercicio (129)

Así, la cuenta de Resultados del ejercicio refleja en su saldo el beneficio (si el saldo es acreedor) o la pérdida (si el saldo es deudor) de la empresa durante el ejercicio.

Si existe beneficio podemos mantener la cuenta 129 abierta o bien pasar su saldo a la cuenta 120 «Remanente» hasta que en Junta de Accionistas se acuerde su distribución.

Resultados del ejercicio (129)	
	a Remanente (120)

Pero si existen pérdidas, hemos de pasar el saldo de Pérdidas y Ganancias a la cuenta 121 «Resultados Negativos de Ejercicios Anteriores».

Resultados negativos de	
ejercicios anteriores (121)	
	a Resultados del ejercicio (129)

Cuenta que habremos de saldar bien con Reservas Voluntarias o bien con los beneficios del ejercicio siguiente.

6.4. EL CICLO CONTABLE

A día 1 de enero tenemos el Balance de situación inicial (o de situación final del anterior ejercicio), pero en el Libro Diario no existe ninguna cuenta abierta. Entonces, los pasos a seguir en el ciclo contable son:

- **Asiento de apertura**: consiste en plasmar en forma de asiento el Balance de situación inicial, de tal manera que tengamos abiertas en el libro Diario todas las cuentas patrimoniales de la empresa. Aparece en el Libro Diario.
- **Asientos del ejercicio**: de forma correlativa, en orden de fechas y sin espacios en blanco, se contabilizarán todas las operaciones que realiza la empresa. Aparece en el Libro Diario.
- **Balances de sumas y saldos**: cada trimestre se confecciona un Balance con los saldos de todas las cuentas abiertas que en ese momento mantiene la empresa. Se realiza en el Libro de Inventarios y Balances.
- **Regularización de existencias**: a 31 de diciembre se regularizan las existencias mediante las cuentas de «Variación de existencias». Aparece en el Libro Diario.
- **Determinación del beneficio**: mediante el asiento de Resultados del ejercicio. Aparece en el Libro Diario.
- **Asiento de cierre**: consiste en cerrar todas las cuentas que quedan abiertas (de los grupos 1 al 5, ya que las de los grupos 6 y 7 quedaron cerradas con Resultados del ejercicio). Se realiza mediante un único asiento. Aparece en el Libro Diario.
- **Balance de situación final:** se compondrá de las mismas cuentas que el asiento de cierre, pero situadas al sitio contrario, o sea, lo que en el asiento de cierre aparece en el HABER, serán las cuentas de ACTIVO, y lo que aparece en el cierre en el DEBE son las cuentas de PASIVO. Se realiza en el Libro de Inventarios y Balances.

EJERCICIO 6.1

Dado el siguiente balance a 01 de enero:

Caja................................ 100,00
Bancos 1.000,00
Maquinaria 4.000,00
Mobiliario............................. 500,00
Mercaderías 8.000,00
Capital Social 4.000,00
Reserva legal 500,00
Deudas a largo plazo 4.000,00
Proveedores......................... 5.100,00

Ordenar el balance inicial y contabilizar las siguientes operaciones realizadas durante el ejercicio (con sus mayores):

1. Ventas de mercaderías 20.000,00 € cobradas por Caja.
2. Ventas de mercaderías 1.000,00 € a crédito.
3. Compras de mercaderías 14.000,00 € pagadas por Caja.
4. Compras de mercaderías 2.000,00 € a crédito.
5. Se pagan 3.000 € a los proveedores del balance.
6. Se concede un *rappel* por ventas de 500,00 €, pagado por caja.
7. Devolvemos 1.000,00 € en mercaderías, cobrado por caja.
8. Concedemos un nuevo descuento de 200,00 € a un cliente cuya venta ya se había contabilizado, pagándole por caja.
9. Las existencias finales de mercaderías ascienden a 10.000,00 €.

Se pide: realizar el asiento de Resultados del ejercicio.

Nota: la Reserva Legal es una reserva por imperativo de la ley, que veremos con detalle más adelante.

EJERCICIO 6.2

La empresa NERVIO S.A. nos informa de que los saldos de sus cuentas contables a 1 de enero fueron:

Caja...................................2.000,00
Bancos 3.000,00
Materias Primas...................7.000,00
Productos terminados...........4.000,00
Envases y embalajes.............1.000,00
Reserva legal.......................2.000,00
Reservas voluntarias.............3.000,00
Maquinaria..........................6.000,00
Mobiliario............................2.000,00
Capital Social.....................20.000,00

Durante el año se realizaron, de forma resumida, las siguientes operaciones:

1. Compra de materias primas por 20.000,00 €, pagadas por bancos.
2. Compra de envases por 3.000,00 €, pagados por caja.
3. Otra empresa le facturó 5.000,00 € por acabar ciertos productos, pagándoles por bancos.
4. Venta de envases por 4.000,00 €, cobrados por bancos.
5. Venta de productos terminados por 30.000,00 €, cobrando por bancos 25.000,00 € y el resto por caja.
6. Devolución de compras por 1.000,00 €, dejando este importe como anticipo de futuras compras de materias primas.
7. Se concedió un *rappel* a un cliente por 2.000,00 €, pagándole por bancos.
8. Se ingresó 1.000,00 € en la cuenta bancaria, desde caja.
9. Se realizó un descuento a un cliente por error en la factura, de 2.000,00 €, decidiendo el cliente que quedara como anticipo.
10. Compra de materias primas de 2.000,00 €, con un descuento en factura del 10% por promoción y un descuento por pronto pago del 5% sobre el bruto, pagando por bancos y aplicando el anticipo del punto 6.
11. Venta de productos terminados por 3.000,00 €, con un descuento especial de 500,00 € y un descuento por pronto pago de 100 €, cobrando por bancos y aplicando el anticipo del punto 9.
12. Existencias finales:

Productos terminados 5.000,00
Materias primas 4.000,00
Envases y embalajes 2.000,00

Se pide: realizar todos los asientos contables, incluso el de Resultados del ejercicio. **Nota: las Reservas Voluntarias son reservas dotadas voluntariamente por los socios. Trataremos este concepto con más profundidad en temas posteriores.**

EJERCICIO 6.3 RESUELTO

La empresa HERMO S.A. nos relaciona el saldo de sus cuentas a 1 de enero:

Maquinaria	15.000,00	Reserva Legal	6.000,00
Capital Social	40.000,00	Mobiliario	10.000,00
Clientes	5.000,00	Bancos	6.000,00
Materias primas	4.000,00	Prod. terminados	6.000,00

Durante el año realizó las siguientes operaciones:

1. Compras de materias primas por 90.000,00 €, con descuentos de promoción de 5.000,00 €. En factura aparecen 2.000,00 € en envases retornables. Se paga por bancos la compra y los envases quedan pendientes.
2. Ventas de productos terminados por 120.000,00 €, con un *rappel* en factura de 3.000,00 €. Incluimos en factura envases retornables por 1.000,00 €. Cobramos la venta por bancos y los envases quedan pendientes.
3. Devolvemos los envases del punto 1.
4. Nos devuelven los envases del punto 2
5. Pagamos por bancos el alquiler por 6.000,00 €.
6. Cobramos a los clientes del balance por bancos.
7. Cobramos 1.000,00 € en comisiones por bancos.
8. Las nóminas arrojan los siguientes datos: sueldos brutos, 10.000,00; aportación trabajadores a la Seguridad Social, 650,00; retenciones IRPF 1.000,00; deuda a la Seguridad Social (TC1), 3.500,00. Se paga la nómina por bancos.
9. Las existencias finales son: Materias Primas, 5.000,00; Productos Terminados, 5.000,00.

Se pide: realizar todo el ciclo contable.

SOLUCIÓN EJERCICIO 6.3

Balance inicial

ACTIVO		PASIVO

15.000,00	Maquinaria (213)	Capital Social (100) 40.000,00
10.000,00	Mobiliario (216)	Reserva legal (112) 6.000,00
4.000,00	Materias primas (310)	
6.000,00	Productos terminados (350)	
5.000,00	Clientes (430)	
6.000,00	Bancos(572)	

Asiento de apertura

15.000,00 Maquinaria(213)		
10.000,00 Mobiliario(216)		
4.000,00 Materias primas(310)		
6.000,00 Productos terminados(350)		
5.000,00 Clientes(430)	a Capital Social (100)	40.000,00
6.000,00 Bancos(572)	Reserva legal(112)	6.000,00

Como vemos, son los mismos datos que el Balance inicial, pero son dos libros diferentes: el Balance aparece en las Cuentas Anuales y el Asiento de Apertura se refleja en el Diario (es el primer asiento del año)

Asientos del ejercicio

1.

85.000,00 Compras de materias primas (601)		
2.000,00 Env. y emb. a dev. a prov. (406)		
	a Bancos (572)	85.000,00
	Proveedores (400)	2.000,00

2.

117.000,00 Bancos (572)		
1.000,00 Clientes (430)		
	a Env. y emb. a dev. clientes (437)	1.000,00
	Ventas de prod. terminados (701)	117.000,00

3.

2.000,00 Poveedores (400)		
	a Envases y emb. a dev. a proveed. (406)	2.000,00

4.

1.000,00 Env. y emb. a dev. clientes (437)		
	a Clientes (430)	1.000,00

5.

6.000,00 Arrend. y cánones (621)		
	a Bancos (572)	6.000,00

6.

5.000,00 Bancos (572)		
	a Clientes (430)	5.000,00

7.

1.000,00 Bancos (572)		
	a Ingresos por comisiones (754)	1.000,00

8.

10.000,00 Sueldos y salarios (640)		
2.850,00 Seg. Soc. a c/empresa (642)		
	a Org. Seg. Soc. Acreedores (476)	3.500,00
	H.P. acreed. ret. pract. (4751)	1.000,00
	Bancos (572)	8.350,00

9.

4.000,00 Var. exist. mat. primas (611)		
6.000,00 Var. exist. prod. terminados (712)		
	a Materias primas (310)	4.000,00
	Productos term. (350)	6.000,00

5.000,00 Materias primas (310)		
5.000,00 Productos terminados (350)		
	a Var. exist. mat. primas (611)	5.000,00
	Var. exist. prod. term. (712)	5.000,00

Determinación del resultado

104.850,00 Resultado del ejercicio (129)

a Compras de materias primas (601)	85.000,00
Arrend. y cánones (621)	6.000,00
Sueldos y salarios (640)	10.000,00
Seg. Soc. a c/ empresa (642)	2.850,00
Var. exist. prod. termin. (712)	1.000,00

117.000,00 Ventas prod. termin. (701)
1.000,00 Ingresos por comisiones (754)
1.000,00 Var. exist. mat. primas (611)
                    a Resultado del ejercicio (129) 119.000,00

14.150,00 Resultado del ejercicio (129)
                    a Remanente (120) 14.150,00

Este último asiento no es necesario realizarlo aquí. Sí lo haremos cuando, llegado el momento, no haya acuerdo en el reparto de beneficios. Pero por aspectos metodológicos es interesante realizarlo ya que en él puede conocerse, sin más operaciones, el beneficio de la empresa.

Asiento de cierre

40.000,00 Capital social (100)
6.000,00 Reserva legal (112)
14.150,00 Remanente (120)
1.000,00 H.P. acreed. ret. pract. (4751)
3.500,00 Org. Seg. Soc. Acreedores (476)

a Maquinaria (213)	15.000,00
Mobiliario (216)	10.000,00
Mater. Primas (310)	5.000,00
Prod. Terminados (350)	5.000,00
Bancos (572)	29.650,00

Balance de situación final

ACTIVO		PASIVO	
15.000,00	Maquinaria (213)	Capital social (100)	40.000,00
10.000,00	Mobiliario (216)	Reserva legal (112)	6.000.00
5.000,00	Mater. P. (310)	Remanente (120)	14.150,00
5.000,00	Prod. T.(350)	H.P. a. r. p. (4751)	1.000,00
29.650,00	Bancos (572)	Org. S. S. Acr. (476)	3.500,00
64.650,00			64.650,00

Al iniciar nuestra actividad contable el próximo año, realizaremos el asiento de apertura en el diario copiando los saldos de este balance final obtenido.

TEMA 7: CONTABILIDAD DEL IMPUESTO SOBRE EL VALOR AÑADIDO.

7.1. INTRODUCCIÓN
7.2. CONTABILIZACIÓN DEL IVA EN LA ADQUISICIÓN DE BIENES Y SERVICIOS
7.3. CONTABILIZACIÓN DEL IVA EN LA VENTA DE BIENES Y SERVICIOS
7.4. LIQUIDACIÓN DEL IVA A LA HACIENDA PÚBLICA

7.1. INTRODUCCIÓN

El Impuesto sobre el Valor Añadido es un impuesto indirecto que grava el consumo. El IVA se aplica mediante 3 porcentajes:

Tipo general: 21 %
Tipo reducido: 10 %
Tipo superreducido: 4 %

7.2. CONTABILIDAD DEL IVA EN ADQUISICIÓN DE BIENES Y SERVICIOS

Cuando la empresa realiza alguna compra o tiene un gasto, le será aplicado el IVA correspondiente. En este caso, se llama **IVA soportado**, porque la empresa deberá pagarlo al proveedor o acreedor. Este IVA es el porcentaje que corresponda (21, 10 o 4) aplicado al importe del gasto o de la compra, y se recoge en la cuenta 472 «Hacienda Pública, IVA soportado». El asiento será:

Cuenta de gasto o compra
H.P. IVA soportado a Proveedores, Acreedores,
Caja, Bancos, etc.

Ahora bien, el IVA se aplica **siempre al importe NETO de la operación**, de tal manera que si existen descuentos posteriores o devoluciones, o si ha habido algún error, se debe anular la parte de IVA soportado que corresponda a la rectificación.

Proveedores, Acreedores, Bancos, Caja, etc.		
a Devoluciones de compras, descuentos, etc.		
H.P. IVA soportado		

En el caso particular de envases a devolver a proveedores, el importe de los mismos se incluye en el IVA. Cuando se devuelvan, también se deducirá el IVA correspondiente de nuestra deuda.

Ejemplo:

1. Compramos 10.000,00 € en mercaderías y el proveedor nos envía 1.000,00 € en envases retornables. El IVA a aplicar es del 21% y pagamos la compra por caja, dejando los envases sin pagar (ya que pretendemos devolverlos).

2. Devolvemos envases por valor de 600,00 €. El resto decidimos quedárnoslos y los pagamos por bancos.

Solución:

10.000,00 Compras de mercaderías (600)	
1.000,00 Env. y emb. a dev. a prov. (406)	
2.310,00 H.P. IVA soportado (472)	
a Caja (570)	12.100,00
Proveedores (400)	1.210,00

Como vemos, la deuda a los proveedores corresponde a los envases más su IVA.

A continuación, contabilizamos la devolución de los envases

726,00 Proveedores (400)	
a Envases y emb. a dev. a proveedores (406)	600,00
H.P. IVA soportado (472)	126,00

El resto de envases decidimos quedárnoslos

400,00 Compra de otros aprovisionamientos (602)	
a Envases y emb. a dev. a proveedores (406)	400,00

En este asiento no es necesario incluir el IVA, ya que existiría un IVA soportado en el Debe por la compra y otro IVA soportado en el Haber, del mismo importe, por la cancelación del IVA en los envases.

Por último, pagamos por bancos la deuda, que será de los envases comprados más su IVA.

484,00 Proveedores (400)	
	a Bancos (572) 484,00

7.3. CONTABILIDAD DEL IVA EN VENTA DE BIENES Y SERVICIOS

Cuando la empresa vende o bien realiza un servicio que le comportará ingresos, deberá, también, incluir el IVA en sus facturas, con los mismos porcentajes vistos anteriormente, que se aplicarán al importe del ingreso. Ese IVA que la empresa ha de cobrar es el **IVA repercutido**, y se recoge en la cuenta 477 «Hacienda Pública, IVA repercutido».

El asiento será el siguiente:

Clientes, Deudores, Caja, Bancos, etc.
a Cuenta de ingreso o venta
H.P. IVA repercutido

Al igual que ocurría en los gastos y compras, si se produce una rectificación posterior (descuentos, devoluciones, errores, etc.) deberá reducirse el importe del IVA repercutido:

Devoluciones de ventas, descuentos, etc.
H.P. IVA repercutido   a Clientes, Deudores, Caja,
Bancos, etc.

Hay que hacer notar que en los Anticipos, tanto a proveedores como de clientes, se incluye también el IVA que corresponda.

Anticipos a proveedores
H.P. IVA soportado   a Bancos, Caja, etc.

o bien,

Bancos, Caja, etc.	a	Anticipos de clientes
		H.P. IVA repercutido

En el caso de envases a devolver por clientes, al igual que ocurre en las compras, estos envases forman parte de la base imponible del IVA y cuando nos los devuelvan, habrá que deducir el IVA repercutido de los mismos del saldo de nuestro cliente.

7.4. LIQUIDACIÓN DEL IVA A LA HACIENDA PÚBLICA

Al final de cada trimestre (31-03, 30-06, 30-09 y 31-12) se debe liquidar el IVA, anulando las cuentas de IVA soportado e IVA repercutido. Determinadas empresas (exportadoras y grandes empresas) realizarán una liquidación mensual.

Para ello, se realiza un asiento en el que aparece en el DEBE la cuenta «H.P. IVA repercutido» por su saldo, y en el HABER «H.P. IVA soportado» también por el saldo de esa cuenta. De esta forma, ambas cuentas quedan anuladas (saldadas). Como no han de coincidir (si lo hicieran, sería casual) la diferencia entre ambas aparecerá en la cuenta **4750 «Hacienda Pública, acreedora por IVA»** (si la diferencia es a favor de Hacienda, o sea, el IVA repercutido mayor que el soportado) en el HABER, o bien en la cuenta **4700 «Hacienda Pública, deudora por IVA»** (si la diferencia es a nuestro favor, o sea, el IVA soportado mayor que el repercutido), que aparecerá en el DEBE.

Si es a pagar

H.P. IVA repercutido	a	H.P. IVA soportado
		H.P. acreedora por IVA

Si es a devolver o compensar

H.P. IVA repercutido		
H.P. deudora por IVA	a	H.P. IVA soportado

Si el IVA es a pagar (acreedor), se debe ingresar en Hacienda antes de 20 días a partir de la liquidación, excepto el último trimestre, en el que se dispone de 30 días (o sea, 20-04, 20-07, 20-10 y 30-01).

Pero si el IVA es a favor de la empresa, podrá solicitarse la devolución si corresponde al último trimestre (o mensualmente, en cierto tipo de empresas) o bien podrá compensarse en la próxima liquidación, de tal manera que anularíamos la cuenta de H.P. deudora por IVA colocándola en el HABER del asiento de liquidación. Quedaría el asiento de la siguiente forma:

H.P. IVA repercutido a	H.P. IVA soportado
	H.P. deudora por IVA
	H.P. acreedora por IVA

Aunque también podría resultar de nuevo deudor.

Ejemplo:
1. Compras de mercaderías por 3.000,00 €, con descuentos especiales de 500,00 €, más 21 % de IVA, pagado por bancos.
2. Se paga por bancos el alquiler del mes que asciende a 600,00 € más 21 % de IVA.
3. Un proveedor nos concede un rappel de 200,00 € más 21 % de IVA que cobramos por bancos.
4. Vendemos 1.600,00 € en mercaderías, con descuento por pronto pago de 100,00 €, más 21 % de IVA, cobrando por bancos.
5. Liquidamos el IVA del período, dejando el importe a compensar.
6. En el siguiente trimestre vendemos 4.000,00 € en mercaderías más 21 % de IVA y el cliente nos entrega un pagaré para el mes próximo.
7. Compramos 1.000,00 € en mercaderías más 21 % de IVA y entregamos un pagaré a 60 días.
8. Liquidamos el IVA del segundo trimestre.

Solución:
1.

2.500,00 Compras de mercaderías (600)	
525,00 H.P. IVA soportado (472)	
a Bancos (572)	3.025,00

2.

600,00 Arrendamientos y cánones (621)		
126,00 H.P. IVA soportado (472)		
	a Bancos (572)	726,00

3.

242,00 Bancos (572)		
	a *Rappels* por compras (609)	200,00
	H.P. IVA soportado (472)	42,00

El IVA es soportado porque es una devolución que nos hace el proveedor, sobre del IVA que ya nos cobró.

4.

1.815,00 Bancos (572)		
	a Ventas de mercaderías (700)	1.500,00
	H.P. IVA repercutido (477)	315,00

5.

315,00 H.P. IVA repercutido (477)		
294,00 H.P. deudor por IVA (4700)		
	a H.P. IVA soportado (472)	609,00

Como vemos, se cancelan los saldos del IVA repercutido y soportado y la diferencia, que, en este caso, es a nuestro favor, aparece en la cuenta 4700.

6.

4.840,00 Clientes, efectos c. a cobrar (431)		
	a Ventas de mercaderías (700)	4.000,00
	H.P. IVA Repercutido (477)	840,00

7.

1.000,00 Compras de mercaderías (600)		
210,00 H.P. IVA soportado (472)		
	a Proveed., efec. com. pagar (401)	1.210,00

8.

840,00	H.P. IVA repercutido (477)	
	a H.P. IVA soportado (472)	210,00
	H.P. deudor por IVA (4700)	294,00
	H.P. acreedor por IVA (4750)	336,00

Como vemos, se cancela el IVA repercutido y el soportado, se compensa el IVA deudor del trimestre anterior y la diferencia, en este caso, es a favor de Hacienda, con lo que aparece en la cuenta 4750.

EJERCICIO 7.1

El Hotel LEÑO S.A. nos presenta su balance de situación a 01 de enero

ACTIVO
Maquinaria 10.000,00
Mobiliario 2.000,00
Mercaderías 9.000,00
Clientes 3.000,00
Caja 500,00
Bancos 1.500,00

PASIVO
Capital Social 15.000,00
Reserva legal 2.000,00
Deudas a largo plazo 4.000,00
Proveedores 5.000,00

Durante el año se realizaron las siguientes operaciones:

1. Facturas por alojamientos por 30.000,00 € cobradas por bancos (más IVA 10 %).
2. Compra de mercaderías por 15.000,00 €, pagadas por bancos (más IVA 21 %).
3. Descuentos adicionales a clientes por 2.000,00 €, pagados por bancos (más IVA 10 %).
4. Se cobraron por bancos todos los saldos de clientes.
5. Se pagaron por bancos todos los saldos de proveedores.
6. *Rappel* por compras de 1.000,00 €, cobrado por bancos (IVA 21 %).
7. Se han pagado por bancos los siguientes gastos (más IVA 21 %):
   Electricidad........ 200,00
   Teléfono............. 420,00
   Alquileres.......... 900,00
8. Se cobra 600,00 € en comisiones a otra empresa, más 21 % IVA.
9. La nómina total del año, pagada por bancos, es la siguiente:
Salarios brutos: 5.000,00
Aportación trabajadores S.S.: 300,00
Deuda S. S. (TC1): 1.500,00
Retenciones IRPF: 500,00

10. Existencias finales de mercaderías por 11.000,00 €.

Realizar el cierre contable y el balance de situación final, comparando la situación financiera de la empresa al inicio de año con respecto a la de final de año.

EJERCICIO 7.2

La empresa PITO S.A. nos ofrece los saldos de sus cuentas a 01 de enero:

Caja...2.000,00
Clientes..6.000,00
Proveedores...4.000,00
Construcciones...9.000,00
Mobiliario..1.000,00
Materias primas..5.000,00
Productos terminados.. 8.000,00
Proveedores, efectos a pagar..............................7.000,00
Capital Social..18.000,00
Reserva legal...2.000,00

Las operaciones del ejercicio han sido las siguientes (IVA 21%):

1. Ventas de productos terminados por 44.000,00 € más IVA, cobradas por caja.
2. Se ha ingresado 42.000,00 € en bancos, provenientes de Caja.
3. Compras de materias primas por 36.000,00 € más IVA, pagadas por bancos.
4. Un cliente que nos debe 1.000,00 € se considera de dudoso cobro.
5. Se han concedido *rappels* a los clientes por 3.000,00 € más IVA, pagando por bancos.
6. La empresa ha devuelto 1.000,00 € en materias primas más IVA, cobrando por bancos.
7. Se han pagado los siguientes gastos, más IVA, por bancos:
   Comisiones a representantes: 2.000,00
   Electricidad: 500,00
   Teléfono: 750,00
8. Se han cobrado 300,00 € más IVA, por bancos, al ceder el uso de una marca industrial a otra empresa.
9. Las existencias finales de materias primas ascienden a 7.000,00 € y las de productos terminados a 6.000,00 €.

Realizar todas las operaciones del ciclo contable.

EJERCICIO 7.3 RESUELTO

1. Entregamos 2.000,00 € de anticipo a un proveedor, a través de una transferencia bancaria, más 21% de IVA.
2. Compras de materias primas por 10.000,00 € al proveedor anterior, con un descuento de temporada de 1.000,00 € y además se incluyen en factura envases a devolver por 500,00 €. Aplicamos el anticipo del punto 1. Se pagará el resto más adelante. El IVA es del 21 %
3. Devolvemos 2.000,00 € en materias primas al proveedor anterior por estar en mal estado.
4. Se devuelven 300,00 € en envases de los del punto 2. El resto se ha deteriorado y debemos quedárnoslos.
5. Pagamos al proveedor anterior toda la deuda y nos aplica un descuento por pronto pago de 250,00 €.
6. Compramos 16.000,00 € en materias primas a pagar en 8 meses. El IVA es del 21 %
7. Un asesor nos pasa una factura por sus servicios que asciende a 500,00 €, más 21 % de IVA. Pagaremos el mes próximo.
8. Pagamos por bancos al asesor del punto 7.
9. Las nóminas del mes presentan los siguientes datos: salario bruto, 25.000,00; aportaciones a la Seguridad Social por parte de los empleados, 1.500,00; retenciones IRPF, 2.000,00. Se paga por bancos 10.000,00 € y el resto queda pendiente.
10. Pagamos las nóminas pendientes por caja.
11. El TC1 de las nóminas suma 7.500,00 €.
12. Pagamos al proveedor del punto 6 por bancos.
13. Ventas de productos terminados por 30.000,00 €, con un descuento comercial en factura de 2.000,00 €, aplicando un IVA del 21 % y cobrando por bancos.

Se pide: contabilizar todas las operaciones y liquidar el IVA del período.

SOLUCIÓN EJERCICIO 7.3

1.

2.000,00 Anticipo proveedores (407)		
420,00 H.P. IVA soportado (472)		
	a Bancos (572)	2.420,00

2.

9.000,00 Compras de materias primas (601)		
500,00 Envases y emb. a dev. a prov. (406)		
1.575,00 H.P. IVA soportado (472)		
	a Anticipo proveedores (407)	2.000,00
	Proveedores (400)	9.075,00

3.

2.420,00 Proveedores (400)		
	a Devoluciones de compras (608)	2.000,00
	H.P. IVA soportado (472)	420,00

4.

200,00 Compras de otros aprovisionamientos (602)		
363,00 Proveedores (400)		
	a Envases y emb. a dev. a prov. (406)	500,00
	H.P. IVA soportado (472)	63,00

5.

6.292,00 Proveedores (400)		
	a Descuentos compras pronto pago (606)	250,00
	H.P. IVA soportado (472)	52,50
	Bancos (572)	5.989,50

6.

16.000,00 Compras de materias primas (601)		
3.360,00 H.P. IVA soportado (472)		
	a Proveedores (400)	19.360,00

7.

500,00 Servicios de profesionales independientes (623)	
105,00 H.P. IVA soportado (472)	
a Acreedores por prestaciones de servicios (410)	605,00

8.

605,00 Acreedores por prestaciones de servicios (410)	
a Bancos (572)	605,00

9.

25.000,00 Sueldos y salarios (640)	
a Org. Seg. Social acreedores (476)	1.500,00
H.P. acreed. ret. pract. (4751)	2.000,00
Bancos (572)	10.000,00
Remun. ptes. de pago (465)	11.500,00

10.

11.500,00 Remun. ptes. pago (465)	
a Caja (570)	11.500,00

11.

6.000,00 Seg. Soc. a c/ empresa (642)	
a Org. Seg. Soc. acrredores (476)	6.000,00

12.

19.360,00 Proveedores (400)	
a Bancos (572)	19.360,00

13.

33.880,00 Bancos (572)	
a Ventas productos terminados (701)	28.000,00
H.P. IVA repercutido (477)	5.880,00

14. Liquidación del IVA

5.880,00 H.P. IVA repercutido (477)	
a H.P. IVA soportado (472)	4.933,50
H.P. Acreed. por IVA (4750)	946,50

EJERCICIO 7.4 RESUELTO

1. Recibimos 3.000,00 € de anticipo de un cliente a través de una transferencia bancaria, más 21 % de IVA.
2. Vendemos 10.000,00 € en productos terminados al cliente anterior, con un descuento de temporada de 2.000,00 € y además se incluyen en factura envases a devolver por 1.500,00 €. Aplicamos el anticipo del punto 1. El IVA es del 21 %. Se cobrará el resto más adelante.
3. El cliente anterior nos devuelve 1.000,00 € en productos por estar en mal estado.
4. Nos devuelven 500,00 € en envases de los del punto 2. El resto se los vendemos.
5. Cobramos del cliente anterior el saldo pendiente y aplicamos un descuento por pronto pago de 300,00 €.
6. Compramos un total de 8.000,00 € en mercaderías a pagar en 6 meses. El IVA es del 21 %.
7. Pasamos una factura de servicios ajenos a nuestra actividad principal que asciende a 500,00 € más 21 % de IVA. Cobraremos el mes próximo.
8. Cobramos por bancos la factura del punto 7.
9. Pagamos por bancos la compra del punto 6.

Se pide: realizar los asientos contables y liquidar el IVA del período.

SOLUCIÓN EJERCICIO 7.4

1.

3.630,00 Bancos (572)		
	a Anticipos de clientes (438)	3.000,00
	H.P. IVA repercutido (477)	630.00

2.

7.865,00 Clientes (430)		
3.000,00 Anticipos de clientes (438)		
	a Ventas de productos terminados (701)	8.000,00
	Envases y emb. a dev. por clientes (437)	1.500,00
	H.P. IVA repercutido (477)	1.365,00

3.

1.000,00 Devoluciones de ventas (708)		
210,00 H.P. IVA repercutido (477)		
	a Clientes (430)	1.210,00

4.

1.500,00 Envases y emb. a dev. por clientes (437)		
105,00 H.P. IVA repercutido (477)		
	a Ventas de envases y emb. (704)	1.000,00
	Clientes (430)	605,00

5.

300,00 Desc. ventas pronto pago (706)		
63,00 H.P. IVA repercutido (477)		
5.685,00 Bancos (572)		
	a Clientes (430)	6.050,00

6.

8.000,00 Compras de mercaderías (600)		
1.680,00 H.P. IVA soportado (472)		
	a Proveedores (400)	9.680,00

7.

605,00	Deudores (440)	
	a Ingresos por servicios diversos (759)	500,00
	H.P. IVA repercutido (477)	105,00

8.

605,00	Bancos (572)	
	a Deudores (440)	605,00

9.

9.680,00	Proveedores (400)	
	a Bancos (572)	9.680,00

10. Liquidación del IVA

1.722,00	H.P. IVA repercutido (477)	
	a H.P. IVA soportado (472)	1.680,00
	H.P. acreedora IVA (4750)	42,00

EJERCICIO 7.5 RESUELTO

La empresa PINCHO S.A. nos relaciona el saldo de sus cuentas a 1 de enero:

Maquinaria	15.000,00	Reserva Legal	7.000,00
Capital Social	40.000,00	Mobiliario	10.000,00
Clientes	5.000,00	Bancos	6.000,00
Materias primas	4.000,00	Prod. terminados	6.000,00
H.P. deudora IVA	1.000,00		

Durante el año realizó las siguientes operaciones:

1. Compras de materias primas por 90.000,00 €, con descuentos de promoción de 5.000,00 €. En factura aparecen 2.000,00 € en envases retornables. Se paga por bancos la compra y los envases quedan pendientes. IVA 21 %
2. Ventas de productos terminados por 120.000,00 €, con un *rappel* en factura de 3.000,00 €. Incluimos en factura envases retornables por 1.000,00 €. Cobramos la venta por bancos y los envases quedan pendientes. IVA 21 %
3. Devolvemos los envases del punto 1.
4. Nos devuelven los envases del punto 2
5. Pagamos por bancos el alquiler por 6.000,00 € más 21 % de IVA.
6. Cobramos a los clientes del balance por bancos.
7. Cobramos 1.000,00 € más 21 % de IVA en comisiones por bancos.
8. Las nóminas arrojan los siguientes datos: sueldos brutos, 10.000,00; aportación trabajadores a la Seguridad Social, 650,00; retenciones IRPF 1.000,00; deuda a la Seguridad Social (TC1), 3.500,00. Se paga la nómina por bancos.
9. Las existencias finales son: Materias Primas, 5.000,00; Productos Terminados, 5.000,00.

Se pide: realizar todo el ciclo contable.

SOLUCIÓN EJERCICIO 7.5

Balance inicial

ACTIVO		PASIVO	
15.000,00	Maquinaria (213)	Capital Social (100)	40.000,00
10.000,00	Mobiliario (216)	Reserva legal (112)	7.000,00
4.000,00	Materias primas (310)		
6.000,00	Productos terminados (350)		
5.000,00	Clientes (430)		
1.000,00	H.P. deudora por IVA (4700)		
6.000,00	Bancos (572)		

Asiento de apertura

15.000,00	Maquinaria (213)		
10.000,00	Mobiliario (216)		
4.000,00	Materias primas (310)		
6.000,00	Productos terminados (350)		
5.000,00	Clientes (430)		
1.000,00	H.P. deud. IVA (4700)		
6.000,00	Bancos (572)		
		a Capital Social (100)	40.000,00
		Reserva legal(112)	7.000,00

Asientos del ejercicio

1.

85.000,00	Compras de materias primas (601)		
2.000,00	Env. y emb. a dev. a prov. (406)		
18.270,00	H.P. IVA soportado (472)		
		a Bancos (572)	102.850,00
		Proveedores (400)	2.420,00

2.

141.570,00	Bancos (572)		
1.210,00	Clientes (430)		
		a Env. y emb. a dev. clientes (437)	1.000,00
		Ventas de prod. terminados (701)	117.000,00
		H.P. IVA repercutido (477)	24.780,00

3.

2.420,00	Proveedores (400)	
	a Envases y emb. a dev. a proveed. (406)	2.000,00
	H.P. IVA soportado (472)	420,00

4.

1.000,00	Env. y emb. a dev. clientes (437)	
210,00	H.P. IVA repercutido (477)	
	a Clientes (430)	1.210,00

5.

6.000,00	Arrend. y cánones (621)	
1.260,00	H.P. IVA soportado (472)	
	a Bancos (572)	7.260,00

6.

5.000,00	Bancos (572)	
	a Clientes (430)	5.000,00

7.

1.210,00	Bancos (572)	
	a Ingresos por comisiones (754)	1.000,00
	H.P. IVA repercutido (477)	210,00

8.

10.000,00	Sueldos y salarios (640)	
2.850,00	Seg. Soc. a c/empresa (642)	
	a Org. Seg. Soc. Acreedores (476)	3.500,00
	H.P. acreed. ret. pract. (4751)	1.000,00
	Bancos (572)	8.350,00

9.

4.000,00	Var. exist. mat. primas (611)	
6.000,00	Var. exist. prod. terminados (712)	
	a Materias primas (310)	4.000,00
	Productos term. (350)	6.000,00

5.000,00 Materias primas (310)		
5.000,00 Productos terminados (350)		
a Var. exist. mat. primas (611)	5.000,00
Var. exist. prod. term. (712)	5.000,00

Liquidación del IVA

Calculamos los saldo de IVA soportado e IVA repercutido (comprobamos que existe IVA deudor para compensar, por 1.000,00 €)

H.P. IVA soportado (472)		H.P. IVA repercutido (477)	
18.270,00	420,00	210,00	24.780,00
1.260,00			210,00
19.110,00			24.780,00

24.780,00 H.P. IVA repercutido (477)	
a H.P. IVA soportado (477)	19.110,00
H.P. deudora por IVA (4700)	1.000,00
H.P. acreedora por IVA (4750)	4.670,00

Determinación del resultado

104.850,00 Resultado del ejercicio (129)	
a Compras de materias primas (601)	85.000,00
Arrend. y cánones (621)	6.000,00
Sueldos y salarios (640)	10.000,00
Seg. Soc. a c/ empresa (642)	2.850,00
Var. exist. prod. termin. (712)	1.000,00

117.000,00 Ventas prod. termin. (701)	
1.000,00 Ingresos por comisiones (754)	
1.000,00 Var. exist. mat. primas (611)	
a Resultado del ejercicio (129)	119.000,00

| 14.150,00 Resultado del ejercicio (129) | |
| a Remanente (120) | 14.150,00 |

Asiento de cierre

40.000,00 Capital social (100)
  7.000,00 Reserva legal (112)
14.150,00 Remanente (120)
  4.670,00 H.P. acreedora por IVA (4750)
  1.000,00 H.P. acreed. ret. pract. (4751)
  3.500,00 Org. Seg. Soc. Acreedores (476)

	a Maquinaria (213)	15.000,00
	Mobiliario (216)	10.000,00
	Mater. Primas (310)	5.000,00
	Prod. Terminados (350)	5.000,00
	Bancos (572)	35.320,00

Balance de situación final

ACTIVO		PASIVO	
Activo no corriente		**Patrimonio Neto**	
15.000,00	Maquinaria (213)	Capital social (100)	40.000,00
10.000,00	Mobiliario (216)	Reserva legal (112)	7.000.00
Activo Corriente		Remanente (120)	14.150,00
Existencias		**Pasivo no corriente**	
5.000,00	Mater. P. (310)	0	
5.000,00	Prod.T.(350)	**Pasivo corriente**	
Realizable		H.P. acr. IVA (4750)	4.670,00
0		H.P. ac. r. pr. (4751)	1.000,00
Disponible		Org. S. S. Acr. (476)	3.500,00
35.320,00	Bancos (572)		

70.320,00   70.320,00

TEMA 8: EL INMOVILIZADO

> 8.1. CONCEPTO Y CLASES DE INMOVILIZADO
> 8.2. COMPRA DE INMOVILIZADO
> 8.3. LA AMORTIZACIÓN DEL INMOVILIZADO
> 8.4. VENTA DE INMOVILIZADO
> 8.5. INMOVILIZADO PRODUCIDO POR LA PROPIA EMPRESA

8.1. CONCEPTO Y CLASES DE INMOVILIZADO

Todas las cuentas que representan el inmovilizado de la empresa se encuentran en el grupo 2. Son bienes propiedad de la empresa susceptibles de ser utilizados durante más de un año.

Subgrupo 20: Inmovilizaciones intangibles

Aquí se incluye todo el inmovilizado inmaterial (no tangible), así como los anticipos que la empresa entregue para su adquisición. Está compuesto por las siguientes cuentas:

- **200 Investigación:** indagación original y planificada para descubrir nuevos conocimientos científicos o técnicos.
- **201 Desarrollo:** aplicación concreta de los logros obtenidos por la investigación para uso industrial.
- **202 Concesiones administrativas:** derechos de uso de un bien público.
- **203 Propiedad Industrial:** importe satisfecho por la propiedad o el derecho de uso de marcas, patentes, etc.
- **205 Derechos de traspaso:** importe satisfecho por los derechos de arrendamiento de locales. No se incluye aquí el alquiler, sino el derecho a alquilar.
- **206 Aplicaciones informáticas:** cualquier *software* informático.
- **209 Anticipos para inmovilizaciones intangibles:** anticipo para adquirir cualquier elemento intangible de los descritos anteriormente.

Subgrupo 21: Inmovilizaciones materiales

Está formada por todo el inmovilizado material (tangible) propiedad de la empresa. Está compuesto por las siguientes cuentas:

- **210 Terrenos y bienes naturales**: incluye terrenos, solares, tierras de cultivo, etc.
- **211 Construcciones**: todo tipo de edificaciones (locales, oficinas, naves industriales, garajes, etc.).
- **212 Instalaciones técnicas:** unidades complejas compuestas conjuntamente por maquinarias, equipos informáticos, construcciones, etc. Por ejemplo, una cadena de montaje de vehículos.
- **213 Maquinaria:** máquinas con las que se realiza la extracción o elaboración de productos.
- **214 Utillaje:** utensilios y herramientas manuales.
- **215 Otras instalaciones:** conjunto de elementos que funcionan conjuntamente, distintos de los señalados en la cuenta 212. Por ejemplo, instalación de aire acondicionado.
- **216 Mobiliario:** muebles y elementos de oficina.
- **217 Equipos para proceso de información:** equipos informáticos (*hardware*).
- **218 Elementos de transporte:** cualquier tipo de vehículo que permita el desplazamiento fuera de las instalaciones de la empresa, tanto al personal como a los materiales. Si el vehículo se usa exclusivamente para desplazamiento dentro de las instalaciones de la empresa, se incluirá en 213: Maquinaria.
- **219 Otro inmovilizado material:** cualquier otro inmovilizado material no incluido en las cuentas anteriores. Por ejemplo, el equipo de telefonía.

Subgrupo 22: Inversiones inmobiliarias

Aquí se incluyen las inversiones que la empresa realice en terrenos y bienes naturales, así como construcciones de cualquier tipo, siempre que no se utilicen en el proceso productivo de la empresa, sino como inversión. Está compuesto por las siguientes cuentas:

- **220 Inversiones en terrenos y bienes naturales**: inversiones en terrenos que no se utilizará en el proceso productivo.

- **221 Inversiones en construcciones:** inversiones en edificaciones no utilizadas en el proceso productivo.

Subgrupo 23: Inmovilizaciones materiales en curso

Se compone del inmovilizado material que ya está en poder de la empresa pero que no es apto aún para funcionar debido a que no está totalmente instalado o completo. También se incluyen aquí los anticipos para adquisición de inmovilizado material.

8.2. COMPRA DE INMOVILIZADO

Todas las cuentas vistas hasta aquí funcionan de la misma manera al adquirirlas la empresa: aparecen en el DEBE del asiento, teniendo como contrapartida alguna de las siguientes cuentas:

- Caja (570).
- Bancos (572).
- Proveedores de inmovilizado a corto plazo (523).
- Proveedores de inmovilizado a largo plazo (173).

Las dos últimas cuentas incluyen el pago aplazado de la compra.

Hay que tener en cuenta la posible existencia de IVA soportado.

Es importante recordar que en el valor del inmovilizado se incluirá cualquier gasto hasta su puesta en funcionamiento (transporte, montaje, ajustes, etc.)

8.3. LA AMORTIZACIÓN DEL INMOVILIZADO

La amortización consiste en contabilizar como gasto la depreciación (pérdida de valor) sufrida por los bienes del inmovilizado, bien por el desgaste en su uso o bien por el envejecimiento (obsolescencia).

8.3.1. Cálculo de la cuota de amortización anual

Existen diversos métodos para hacerlo, pero vamos a analizar los más usuales.

El Ministerio de Hacienda publica unas tablas de amortización en las que se recogen, con más o menos detalle, diferentes tipos de inmovilizado. En esas tablas, Hacienda determina para cada bien dos parámetros fundamentales a la hora de amortizarlo:

* Número de años máximo a amortizar
* Porcentaje máximo a amortizar anualmente

Si sabemos el porcentaje máximo a amortizar anualmente, también sabremos el número de años mínimo en el que se deberá amortizar. por ejemplo, si para un bien concreto las tablas expresan como número de años máximo para amortizar 6 años y el porcentaje máximo a amortizar anualmente un 20 % (o sea, 5 años porque al 20 %, en 5 años llegaríamos al 100 %), ya tenemos los límites que marca Hacienda: entre 5 y 6 años. La empresa ha de determinar, dentro de esos límites (n.º de años máximo y n.º de años mínimo), el periodo que considere más conveniente para el bien en cuestión.

Hay que resaltar que la amortización debe hacerse de forma individualizada para cada bien de la empresa y se debe contabilizar también en cuentas separadas (o llevar registros extracontables separados), de manera que, en cualquier momento, se pueda conocer cuánto se ha amortizado ya de un bien en concreto.

Contablemente podría amortizarse a cualquier porcentaje estimado por la empresa, pero el exceso sobre las tablas no sería gasto deducible de cara al Impuesto de Sociedades, lo cual nos obligaría a realizar cálculos de ajuste del resultado contable, ya que no coincidiría con la base fiscal. En la realidad de las PYMES considero más ventajoso guiarse directamente por las tablas que marca Hacienda. Pienso que, al final, ofrece menos complicaciones para los empresarios.

Pues bien, una vez determinado el número de años en el que pretendemos amortizar un bien, podemos aplicar uno de los siguientes criterios para establecer la cuota de amortización anual para ese bien:

a) Método lineal o de cuotas constantes

Consiste en dividir el valor de compra del inmovilizado por el número de años en que pretendemos amortizar. Si consideramos que podrá existir un valor residual (o sea, cuando no nos sea útil, consideramos que podremos venderlo por algún valor), este debemos restarlo del precio de compra, ya que esa cantidad residual no debe amortizarse

$$\text{Amortización anual} = \frac{\text{Valor de compra} - \text{Valor residual}}{\text{Número de años de amortización}}$$

Igualmente, puede realizarse aplicando un porcentaje a la diferencia del valor de adquisición menos el valor residual.

Amortización anual = % (Valor adquisición - valor residual)

b) Método de suma de dígitos creciente

Consiste en asignar un dígito de forma creciente a cada uno de los años en que se va a amortizar (1, 2, 3, 4, 5...).

Después se suman dichos dígitos y dividimos el valor del bien (menos su valor residual) por la suma antes obtenida.

La cantidad resultante se multiplica por el dígito que corresponda al año que deseamos amortizar.

c) Método de suma de dígitos decreciente

Es el mismo método anterior, pero asignando dígitos de forma decreciente a cada año de amortización (5, 4, 3, 2, 1, por ejemplo).

d) Método de amortización degresiva o a porcentaje constante

Se aplica un porcentaje fijo a la parte pendiente de amortizar. La primera cuota será aplicar dicho porcentaje al valor de adquisición del bien, sin restar el valor residual. En este sistema, el valor residual será el que quede después de aplicar la última cuota. El porcentaje a aplicar será el determinado en las tablas de amortización, multiplicado por:

- 1,5 si la vida útil del bien es inferior a 5 años.
- 2 si la vida útil del bien está entre 5 y 8 años.
- 2,5 si la vida útil del bien es superior a 8 años.

Ejemplo:

Vamos a calcular la cuota de amortización de una maquinaria que compramos en su día por 15.500,00 €. Vida útil, 5 años (por tanto, el porcentaje a aplicar es del 20 %, ya que 5 años x 20 % es el 100 %). Consideramos un valor residual de 500,00 €.

Solución:

Método lineal

$$\text{Cuota anual} = \frac{15.500,00 - 500,00}{5} = 3.000,00$$

o bien:

Cuota anual = 20 % de (15.500,00 -500,00) = 3.000,00

Método suma de dígitos creciente

Años	Dígitos
1	1
2	2
3	3
4	4
5	5
SUMA	15

Dividimos el valor del bien menos su valor residual por esa suma:

$$\text{Cuota por dígito} = \frac{15.500,00 - 500,00}{15} = 1.000,00$$

Y multiplicamos el resultado por el año en cuestión.

Años	Dígitos		Cuota de amortización
1	1 x 1.000,00	=	1.000,00
2	2 x 1.000,00	=	2.000,00
3	3 x 1.000,00	=	3.000,00
4	4 x 1.000,00	=	4.000,00
5	5 x 1.000,00	=	5.000,00

Así obtenemos la cuota correspondiente a cada uno de los años.

Si el método elegido fuera suma de dígitos decreciente, los pasos son los mismos, solo que en ese caso los dígitos asignados irían decreciendo (de 5 a 1).

Estos métodos también pueden utilizarse comenzando la numeración por cualquier cifra (por ejemplo, 90, 91, 92, 93, 94). Los resultados son diferentes, pero es viable realizarlo.

Si debemos sumar una serie, creciente o decreciente, de dígitos numerosos, podemos utilizar la siguiente fórmula, que permite simplificar esa suma:

$$\text{Suma dígitos} = \frac{(\text{Primer número} + \text{Último número}) \times \text{total números}}{2}$$

De esta forma, si queremos sumar una serie de número correlativos desde el 1 al 90, empleando la fórmula tendríamos:

$$\text{Suma dígitos} = \frac{(1 + 90) \times 90}{2} = \frac{91 \times 90}{2} = \frac{8.190}{2} = 4.095$$

Esta fórmula puede emplearse para sumar número correlativos sin importar en qué número se inicie. Así, podríamos usarla para sumar los números correlativos desde el 91 al 120:

$$\text{Suma dígitos} = \frac{(91 + 120) \times 30}{2} = \frac{211 \times 30}{2} = \frac{6.330}{2} = 3.165$$

Método degresivo o porcentaje constante

El porcentaje a aplicar en nuestro ejemplo es del 20 %, pero en este método nos fijamos en la vida útil del bien. En el ejemplo es de 5 años, con lo que multiplicaremos este porcentaje por 2. Tenemos, por tanto, que el porcentaje a aplicar será del 40 %. Se aplica siempre al valor pendiente de amortizar y no se deduce el valor residual, sino que a los 5 años dejamos de amortizar. La forma más práctica es calcularlo con una tabla, tal cual presentamos a continuación:

AÑO	PENDIENTE	%	CUOTA	ACUMULADO
1	15.500,00	40	6.200,00	6.200,00
2	9.300,00	40	3.720,00	9.920,00
3	5.580,00	40	2.232,00	12.152,00
4	3.348,00	40	1.339,20	13.491,20
5	2.008,80	40	803,52	14.294,72
	1.205,28			

El valor pendiente final será, en este método, el valor residual. Las cuotas es lo que corresponderá amortizar cada año y el acumulado es el total amortizado desde que se adquirió el bien.

Hay que resaltar que, en cualquiera de los métodos, debemos realizar ajustes para amortizar cada año lo que corresponda en función del tiempo que el inmovilizado ha estado en nuestro poder. Por ejemplo, si la máquina fue adquirida el 1 de julio, el primer año amortizaremos la mitad, ya que la hemos tenido medio año. Es más exacto realizar el cálculo por días, aunque se aceptaría realizarlo por meses. De esta forma, un mobiliario comprado el 10 de noviembre, al que corresponde una cuota de amortización lineal anual de 1.000,00 €, el primer año, que ha estado en nuestro poder 52 días (de 10/11 a 31/12), haremos el siguiente cálculo

$$\text{Cuota primer año} = \frac{\text{Cuota anual x días de uso}}{365 \text{ días}}$$

En nuestro ejemplo:

$$\text{Cuota primer año} = \frac{1.000,00 \ \times 52}{365} = 142,47 \ €$$

8.3.2. Forma de contabilizar la amortización

La depreciación del inmovilizado se va recogiendo en una cuenta de «amortización acumulada», de manera que, al no utilizar la propia cuenta del inmovilizado, este no irá desapareciendo. Así, en el Balance figurará, por un lado, el valor del inmovilizado cuando fue adquirido y, a continuación, el valor total de su depreciación (con signo negativo), con lo que fácilmente sabremos el valor contable de ese inmovilizado, que será la diferencia entre ambos.

Entonces, en el DEBE del asiento, aparecerá una de las siguientes cuentas:

- Amortización del inmovilizado intangible (680).
- Amortización del inmovilizado material (681).
- Amortización de las inversiones inmobiliarias (682).

Son cuentas de gastos que disminuirán los beneficios de la empresa y recogen el gasto que supone la utilización o posesión del inmovilizado, por la pérdida de valor en ellos sufrida.

En el HABER del asiento aparecerá una de las siguientes cuentas:

- Amortización acumulada del inmovilizado intangible (280).
- Amortización acumulada del inmovilizado material (281).
- Amortización acumulada de las inversiones inmobiliarias (282).

Es en estas cuentas donde se va recogiendo, de forma acumulada, los importes amortizados anualmente. Son cuentas que aparecen en el ACTIVO de un Balance, restando a las cuentas de inmovilizado (con signo negativo).

Amortización del inmovilizado
(680, 681 o 682)   a Amortización acumulada
                                             del inmovilizado (280, 281 o 282)

Es importante señalar que el inmovilizado adquirido de segunda mano puede amortizarse por el doble de porcentaje del máximo permitido en tablas o, lo que es lo mismo, por la mitad del tiempo máximo admitido.

Ejemplo:

1. El 1 de agosto del 2018 compramos unas mesas de segunda mano por 5.500,00 €, con unos gastos de transporte de 500,00 €, más 21 % de IVA y pagaremos en 3 meses.
2. Amortizamos en 2018 las mesas anteriores según el sistema lineal al 10 %, aunque por ser de segunda mano lo amortizamos al doble (20 %)

Solución:

6.000,00 Mobiliario (216)	
1.260,00 H.P. IVA soportado (472)	
a Proveed. inmov. c.p. (523)	7.260,00

500,00 Amortización I.M. (681)	
a Amort. acum. I.M. (281)	500,00

El cálculo de la cuota de amortización se ha realizado aplicando el 20 % a 6.000,00 € (el IVA nunca se amortiza), los cuales nos resultan 1.200,00 € de amortización anual, pero como este año lo hemos tenido solo 5 meses (de agosto a diciembre), dividimos por 12 para obtener la cuota mensual (100,00 €) y multiplicamos por los 5 meses, lo que nos da un total de 500,00 €.

8.4. VENTA DE INMOVILIZADO

Cuando se vende inmovilizado se debe eliminar la cuenta que lo representa, por el **mismo importe de su contabilización al adquirirlo** (independientemente del valor por el que se venda), colocándolo en el HABER del asiento. También se anulará la amortización acumulada de ese bien, colocándola en el DEBE del asiento.

En el DEBE del asiento aparecerá, además, alguna de las siguientes cuentas:

- Caja (570).
- Bancos (572).
- Créditos a corto plazo por enajenación de inmovilizado (543).
- Créditos a largo plazo por enajenación de inmovilizado (253).

Estas cuentas aparecerán por el valor de venta del inmovilizado, más el IVA que corresponda.

Existirá una diferencia, entonces, entre el DEBE y el HABER del asiento, ya que en el HABER hemos contabilizado el valor de compra (en su día) del bien, y en el DEBE hemos contabilizado el valor de venta y la amortización, y no es normal que coincidan las sumas del DEBE y el HABER. La diferencia será el beneficio o la pérdida sufrida en la venta del bien. Este beneficio o esta pérdida se contabilizan en las siguientes cuentas:

- Pérdidas procedentes del inmovilizado intangible (670).
- Pérdidas procedentes del inmovilizado material (671).
- Pérdidas procedentes de las inversiones inmobiliarias (672).
- Beneficios procedentes del inmovilizado intangible (770).
- Beneficios procedentes del inmovilizado material (771).
- Beneficios procedentes de las inversiones inmobiliarias (772).

Las tres primeras aparecerán en el DEBE (para que cuadre el asiento, y además, son gastos) y las tres siguientes aparecerán en el HABER (son ingresos).

Hay que tener en cuenta la posible existencia de IVA repercutido en esta operación.

En el caso de pérdidas, el asiento sería:

Caja o Bancos o Créditos... (543, 253)
(por el valor de venta + IVA).
Amortización acumulada (280, 281 ó 282)
(por el total amortizado en su vida útil).
Pérdidas procedentes de...
    (670, 671 o 672)
                a Cuenta de inmovilizado (20, 21, 22)
                  H.P. Iva repercutido (477)
                  (aplicado al valor de venta)

En el caso de beneficios,

Caja o Bancos o Créditos... (543, 253)	
Amortización acumulada (280, 281 o 282)	
a Cuenta de inmovilizado (20, 21, 22)	
H.P. IVA repercutido (477)	
Beneficios procedentes de...	
(770, 771 o 772)	

Ejemplo:

1. Vendemos un mobiliario por 2.000,00 € más 21 % de IVA, contabilizado por 3.000,00 € y amortizado en 500,00 €. Cobraremos en 3 meses.
2. Vendemos una maquinaria por 1.000,00 € más 21 % de IVA, contabilizada en 1.200,00 € y amortizada en 400,00 €. Cobramos con cheque.

Solución:

1.

2.420,00 Créditos c.p. enaj. inm. (543)		
500,00 Amortiz. acum. I.M. (281)		
500,00 Pérd. proced. I.M. (671)		
	a Mobiliario (216)	3.000,00
	H.P. IVA repercutido (477)	420,00

2.

1.210,00 Bancos (572)		
400,00 Amortiz. acum. I.M. (281)		
	a Maquinaria (213)	1.200,00
	H.P. IVA repercutido (477)	210,00
	Benef. proc. I.M. (771)	200,00

8.5. INMOVILIZADO PRODUCIDO POR LA PROPIA EMPRESA

En el caso de producir la propia empresa su inmovilizado (intangible o material), los gastos que se van ocasionando, bien sea de sueldos o de cualquier otra índole, se van contabilizando en sus respectivas cuentas de gastos conforme se van produciendo.

En el momento en que se contabiliza el inmovilizado, que habitualmente será «en curso» hasta que esté en condiciones de ser utilizado, se activarán estos gastos utilizando para ello una cuenta de ingreso que contrarreste los gastos producidos (ya que ahora no son gastos sino inversión en inmovilizado). Estas cuentas de ingreso se encuentran en el subgrupo, **73 Trabajos realizados para la empresa:**

730 Trabajos realizados para el inmovilizado intangible.
731 Trabajos realizados para el inmovilizado material.
732 Trabajos realizados en inversiones inmobiliarias.
733 Trabajos realizados para el inmovilizado material en curso.

El asiento de activación será

Cuenta de inmovilizado (20, 21 22 o 23)	
	a Trabajos realizados para ... (73).

Un caso habitual es el de la realización de Investigación y Desarrollo. Cuando estas se producen por la propia empresa, iremos contabilizando los gastos en sus respectivas cuentas (sueldos y salarios, Seguridad Social a cargo de la empresa, suministros, amortizaciones, , etc.). Los desembolsos a otras entidades, por ejemplo a una universidad para que realicen la investigación o el desarrollo, lo contabilizaremos en la cuenta 620 Gastos de I+D del ejercicio

Gastos de I+D del ejercicio (620)	
H.P. IVA soportado (472)	
(si es aplicable)	a Bancos (572)

Todos estos gastos se pueden activar, siempre que cumplan los siguientes requisitos:

1. Los proyectos estén perfectamente individualizados y su coste claramente establecido.

2. Tener motivos fundados de éxito técnico y de rentabilidad económica de los mismos.

Si se cumplen estas condiciones podremos activarlos como **200 Investigación** (si es útil para producir algo totalmente novedoso en el mercado) o **201 Desarrollo** (si se trata de un nuevo uso de algo ya existente).

El asiento de activación será

Investigación (200)
Desarrollo (201)
                          a trabajos realizados para inmov. intang. (730)

Estas dos cuentas se podrán amortizar por un período igual a su vida útil, hasta en 5 años. Si llegan a producir un bien intangible concreto (por ejemplo, una patente **«Propiedad Industrial» (203)** o un programa informático, **«Aplicaciones Informáticas» (206))** se llevarán a esas cuentas

---

Propiedad Industrial (203)
Aplicaciones Informáticas (206)
                        a Investigación (200)
                        Desarrollo (201)

Ejemplo:

1. Encargamos un estudio de investigación a la universidad para crear un nuevo producto. Nos pasan una factura de 2.000,00 € que pagamos con cheque.
2. Consideramos que este estudio tendrá éxito y decidimos activarlo.
3. Conseguimos patentar ese trabajo de investigación y lo utilizaremos en nuestro proceso productivo.

Solución:

1.

2.000,00 Gastos I+D del ejercicio (620)
                    a Bancos (572)   2.000,00

2.

2.000,00 Investigación (200)
        a Trabajos realizados para I. Intangible (730) 2.000,00

3.

Propiedad Industrial (203)
                  a Investigación (200)   2.000,00

EJERCICIO 8.1

1. Compramos un ordenador por 720,00 € más IVA, pagando por bancos 500,00 € y el resto en dos meses.

2. Entregamos por bancos 100,00 € más 21 % de IVA como anticipo para la compra de *software* informático.

3. Compramos el programa informático por 360,00 € más IVA, aplicando el anticipo del punto anterior y pagando el resto por caja.

4. Vendemos unas mesas de despacho antiguas por 100,00 € más IVA. Costaron en su día 200,00 € y estaban amortizadas en 75,00 €. Cobramos 25,00 € por caja y el resto lo cobraremos el mes próximo.

5. Vendemos una patente de fabricación por 500,00 € más IVA. Nos costó 100,00 € hace dos años y estaba amortizada en 40,00 €. Cobramos por bancos.

6. Amortizamos el ordenador del punto 1 mediante el sistema de suma de dígitos decreciente a 8 años. Se compró el 1 de julio y amortizamos el primer año.

7. Amortizamos el programa informático del punto 2 mediante el sistema de suma de dígitos creciente a 8 años. Se compró el 1 de agosto y amortizamos el primer año.

8. Compramos el 1 de enero una furgoneta de segunda mano por 5.000,00 € más IVA, pagándola por bancos.

9. Amortizamos la furgoneta anterior, sabiendo que Hacienda determina un porcentaje máximo del 15 % para este bien, pero optamos por la amortización acelerada para bienes de segunda mano (que consiste en aplicar el doble de porcentaje de amortización máxima). Utilizamos el sistema lineal.

A todas las operaciones les corresponde un IVA del 21 %.

EJERCICIO 8.2

La Sociedad PRIMO S.A. nos presenta sus cuentas a 01 de enero

Maquinaria 2.000,00
Capital Social 5.000,00
Mercaderías 5.500,00
Reserva lega 1.000,00
Clientes.............................1.000,00
Proveedores 4.000,00
Caja, euros...........................500,00
H.P. Acreed. IVA 500,00
Bancos, c/c vista.................2.000,00
Amort. Acum. I.M.................500,00

Durante el año se han realizado las siguientes operaciones:

1.- Compras de mercaderías por 15.000,00 €, más 21 % IVA, pagados por bancos.

2.- Ventas de mercaderías por 14.000,00 €, más 21 % IVA, cobrados por bancos.

3.- Devoluciones de mercaderías a proveedores por 1.000,00 €, más 21 % IVA, deducidos de la deuda.

4.- *Rappels* recibidos de proveedores por 500,00 € más 21 % IVA, cobrados por bancos.

5.- Pago de IVA que aparece en Balance por bancos.

6.- Venta de una maquinaria que aparece en balance por 1.000,00 €, amortizada en 200,00 €, cobrando por ella 500,00 € más 21 % IVA por bancos.

7.- Ventas de mercaderías por 4.000,00 € más 21 % IVA, a crédito.

8.- Se cobra por bancos 3.000,00 € de los clientes, y se paga por bancos 2.000,00 € a los proveedores.

9.- La nómina, pagada por bancos, es la siguiente:
   - Salario Bruto: 1.500,00
   - Seg. Soc. a c/trabajador:............................ 100,00
   - Retenciones IRPF:..................................... 150,00
   - Deuda Seg. Soc. (TC1):.............................. 450,00

10.- Se han pagado los siguientes gastos por bancos:
   - Comisiones bancarias: 200,00 más 21 % IVA.
   - Alquileres: 500,00 más 21 % IVA.

- Electricidad: 150,00 más 10 % IVA.
- Asesor laboral: 250,00 más 21 % IVA.

11.- Se ha cobrado por bancos los siguientes ingresos:
- Servicios de asesoramiento: 100,00 más 21 % IVA.
- Comisiones: 150,00 más 21 % IVA.

12.- Las existencias finales de mercaderías ascienden a 5.000,00 €.

13.- Se liquida el IVA del período.

14.- Se amortiza el inmovilizado en un 10 %.

Se pide: realizar todo el ciclo contable.

EJERCICIO 8.3

La Sociedad FAMO S.A. nos presenta su balance a 01 de enero

ACTIVO	PASIVO
Maquinaria 2.000,00	Capital Social 5.000,00
Mercaderías 5.000,00	Reserva legal 1.000,00
Clientes.................1.000,00	Proveedores 4.000,00
Caja..........................500,00	H.P. Acreed. IVA 500,00
Bancos 2.000,00	

Durante el año se han realizado las siguientes operaciones:

1.- Compras de mercaderías por 15.000,00 €, pagadas por bancos.
2.- Devoluciones de mercaderías a proveedores por 1.000,00 €.
3.- *Rappels* recibidos de proveedores por 500,00 €, cobrados por bancos.
4.- Pago de IVA que aparece en Balance por bancos.
5.- Ventas de mercaderías por 19.000,00 €, cobradas por bancos, con un descuento por pronto pago del 10 %.
6.- Se cobra por bancos 500,00 € de los clientes y se paga por bancos 2.000,00 € a los proveedores.
7.- Se compra unos muebles el 20 de octubre por 1.000,00 €. Se paga por bancos, además del coste de la instalación y transporte de los mismos, que ascienden a 200,00 €.
8.- La nómina, pagada por bancos, es la siguiente:
   - Salario Bruto: 1.500,00
   - Seg. Soc. a c/trabajador: 100,00
   - Retenciones IRPF: 150,00
   - Deuda Seg. Soc.:   450,00
9.- Se han pagado los siguientes gastos por bancos:
   - Comisiones bancarias: 200,00
   - Alquileres: 500,00
   - Electricidad: 150,00
   - Agua: 100,00
   - Asesor laboral: 250,00
10.- Las existencias finales de mercaderías ascienden a 5.500,00 €.
11.- Se amortiza la maquinaria del balance en un 15 %, con valor residual de 1.000,00 €.

12.- Se amortiza el mobiliario del punto 7 (comprado el 20 de octubre) por el método lineal a 6 años, sin valor residual.

13.- Se liquida el IVA del período.

Todas las operaciones se entienden con IVA del 21 %, no incluido en el valor.

EJERCICIO 8.4 RESUELTO

1. Compramos un mobiliario el 20 de noviembre 2017 por 11.000,00 €, con unos gastos de transporte de 1.000,00 €. Todo más IVA del 21 %. Pagamos con cheque bancario.
2. Compramos un camión el 25 de noviembre 2017 por 34.000,00 €. Los gastos de la compra ascienden a 2.000,00 €. Todo más 21 % de IVA. Pagamos con pagaré a 30 días.
3. Compramos una máquina el 2 de diciembre 2017 por 25.000,00 €, con gastos de instalación de 3.000,00 €, todo más 21 % de IVA. Pagaremos dentro de 2 años.
4. El 31 de diciembre 2017 se amortiza por el método lineal a 8 años el mobiliario del punto 1, sin valor residual.
5. El 31 de diciembre 2017 se amortiza el camión del punto 2 por el método de suma de dígitos decreciente a 5 años, con valor residual de 6.000,00 €.
6. El 31 de diciembre 2017 se amortiza la máquina del punto 3 por el sistema degresivo a 6 años. El porcentaje en tablas es del 15 %.
7. El 31 de diciembre 2018 se amortiza el mobiliario.
8. El 31 de diciembre 2018 se amortiza el camión.
9. El 31 de diciembre 2018 se amortiza la máquina.
10. El 31 de diciembre 2018 se vende el mobiliario por 14.000,00 € más 21 % de IVA, cobrando con cheque bancario.
11. El 31 de diciembre 2018 se vende el camión por 20.000,00 € más 21 % de IVA, cobrando con pagaré a 60 días.
12. El 31 de diciembre 2008 se quema la máquina y la damos de baja.

SOLUCIÓN EJERCICIO 8.4

1.

12.000,00 Mobiliario (216)		
2.520,00 H.P. IVA soportado (472)		
	a Bancos (572)	14.520,00

2.

36.000,00 Elementos transporte (218)		
7.560,00 H.P. IVA soportado (472)		
	a Proveedores inm. c.p. (523)	43.560,00

3.

28.000,00 Maquinaria (213)		
5.880,00 H.P. IVA soportado (472)		
	a Proveed. inmov. l.p. (173)	33.880,00

4.

172,60 Amortiz. I.M. (681)		
	a Amort. acum. I.M. (281)	172,60

El cálculo ha sido: 12.000,00 / 8 = 1.500,00
      1.500,00 x 42 (de 20/11 a 31/12)/ 365 = 172,60

5.

1.013,70 Amort. I.M. (681)		
	a Amort. acum. I.M. (281)	1.013,70

El cálculo ha sido: (36.000,00 - 6.000,00) / 15 (suma de dígitos 5, 4, 3, 2, 1) x 5 (dígito primer año) = 10.000,00
      10.000,00 x 37 (de 25/11 a 31/12) / 365 = 1.013,70

6.

690,41 Amort. I.M. (681)		
	a Amort. acum. I.M. (281)	690,41

El cálculo ha sido: 28.000,00 x 30% (15 % x 2) = 8.400,00
      8.400,00 x 30 (de 02/12 a 31/12) / 365 = 690,41

7.

1.500,00 Amortiz. I.M. (681)	
	a Amort. acum. I.M. (281) 1.500,00

8.

9.797,26 Amortiz. I.M. (681)	
	a Amort. acum. I.M. (281) 9.797,26

El cálculo se ha hecho: lo que faltaba del primer año 10.000,00 - 1.013,70 = 8.986,30

La parte correspondiente a 37 días del segundo año:

(36.000,00 - 6.000,00) / 15 (suma de dígitos 5, 4, 3, 2, 1) x 4 (dígito segundo año) = 8.000,00.

8.000,00 x 37 (de 25/11 a 31/12) / 365 = 810,96

Total: 8.986,30 + 810,96 = 9.797,26.

9.

8.192,88 Amortiz. I.M. (681)	
	a Amort. acum. I.M. (281) 8.192,88

El cálculo ha sido: lo que faltaba del primer año 8.400,00 - 690,41 = 7.709,59.

La parte correspondiente a 30 días del segundo año:

(28.000,00 - 8.400,00) x 30 % = 5.880,00

5.880,00 x 30 (de 02/12 a 31/12) / 365 = 483,29

Total : 7.709,59 + 483,29 = 8.192,88.

10.

16.940,00 Bancos (572)		
1.672,60 Amort. acum. I.M. (281)		
	a Mobiliario (216)	12.000,00
	H.P. IVA repercutido (477)	2.940,00
	(21 % sobre 14.000,00)	
	Beneficio proc. I.M. (771)	3.672,60

11.

24.200,00	Créditos c.p. enaj. inmv. (543)	
10.810,96	Amort. acum. I.M. (281)	
5.189,04	Pérdidas proc. I.M. (671)	
	a Elementos transporte (218)	36.000,00
	H.P. IVA repercutido (477)	4.200,00
	(21 % sobre 20.000,00)	

12.

8.883,29	Amort. acum. I.M. (281)	
19.116,71	Pérdidas proced. I.M. (671)	
	a Maquinaria (213)	28.000,00

EJERCICIO 8.5 RESUELTO

La empresa QUERRI S.A. nos presenta el saldo de sus cuentas a 01 de enero:

Mercaderías	60.000,00	Amort. Ac. I. Mat.	30.000,00
Reserva legal	20.000,00	Reservas voluntarias	40.000,00
Mobiliario	10.000,00	Equipos proc. inf.	15.000,00
Capital social	200.000,00	Maquinaria	250.000,00
Clientes	20.000,00	Proveedores	30.000,00
Bancos	15.000,00	Deudas a l. p. ent. cto.	50.000,00

Durante el ejercicio 2006 realizó las siguientes operaciones:

1. Compras de mercaderías por 100.000,00 € con unos descuentos especiales de 1.000,00 € y un *rappel* de 2.000,00 €, más IVA del 21 %, pagada por bancos.
2. Ventas de mercaderías por 350.000,00 € con un descuento por pronto pago de 2.000,00 €, más 21 % de IVA, cobrada por bancos.
3. Ventas de mercaderías por 15.000,00 € más 21 % de IVA, aún no cobrada.
4. Se paga por bancos 25.000,00 € a los proveedores y se cobra por bancos 10.000,00 € a los clientes.
5. La nómina resumida ha sido la siguiente: Salario bruto, 100.000,00 €; aportación trabajadores a la Seguridad Social, 6.500,00 €; retenciones IRPF, 10.000,00 €. Se paga por bancos 83.500 €.
6. El TC1 suma 30.000,00 €
7. Se ha vendido todo el equipo informático que aparece en balance por 15.000,00 y amortizado en 5.000,00 €, por un total de 7.000,00 € más 21% de IVA, cobrado por bancos.
8. Se compró un nuevo equipo informático por 20.000,00 € más 5.000,00 € de instalación y montaje, con un IVA del 21 % por el total, pagando por bancos.
9. Los gastos generales han sido: electricidad, 20.000,00 €; alquiler, 50.000,00 €; asesor fiscal, 10.000,00 €. Todo ello más IVA del 21 %, pagado todo por bancos.
10. Se ha cobrado por bancos 2.000,00 € más 21 % de IVA por prestar un servicio de asesoramiento a otra empresa, ajeno a nuestra actividad principal.
11. Se amortiza el inmovilizado en 20.000,00 €.
12. Las existencias finales de mercaderías ascienden a 50.000,00 €.

SOLUCIÓN EJERCICIO 8.5

BALANCE DE SITUACIÓN INICIAL

ACTIVO		PASIVO	
250.000,00	Maquinaria (213)	Capital Soc. (100)	275.000,00
10.000,00	Mobiliario (216)	Reserva legal (112)	20.000,00
90.000,00	Eq. Proc. Inf.(217)	Reservas vol. (113)	40.000,00
-30.000,00	Am.Ac.IM.(281)	Deud.L.P.ent.cto.(170)	50.000,00
60.000,00	Mercaderías (300)	Proveedores (400)	30.000,00
20.000,00	Clientes (430)		
15.000,00	Bancos (572)		

ASIENTO DE APERTURA (LIBRO DIARIO)

250.000,00	Maquinaria (213)		
10.000,00	Mobiliario (216)		
90.000,00	Equipos Proc. Inform. (217)		
60.000,00	Mercaderías (300)		
20.000,00	Clientes (430)		
15.000,00	Bancos (572)		
		a Capital social (100)	275.000,00
		Reserva legal (112)	20.000,00
		Reservas voluntarias (113)	40.000,00
		Deud. L.P. ent. cto. (170)	50.000,00
		Proveedores (400)	30.000,00
		Am. Acum. Inm. Mat. (281)	30.000,00

ASIENTOS DEL EJERCICIO

1.

97.000,00	Compras merc. (600)		
20.370,00	H.P. IVA soportado (472)		
		a Bancos (572)	117.370,00

2.

421.080,00 Bancos (572)		
	a Ventas mercaderías (700)	348.000,00
	H.P. IVA repercutido (477)	73.080,00

3.

18.150,00 Clientes (430)		
	a Ventas mercaderías (700)	15.000,00
	H.P. IVA repercutido (477)	3.150,00

4.

25.000,00 Proveedores (400)		
	a Bancos (572)	25.000,00
10.000,00 Bancos (572)		
	a Clientes (430)	10.000,00

5.

100.000,00 Sueldos y sal. (640)		
	a O.S.S. Acreedores (476)	6.500,00
	H.P. acreedora retenc. (4751)	10.000,00
	Bancos (572)	83.500,00

6.

23.500,00 Seg. Soc. c/emp (642)		
	a O.S.S. Acreedores (476)	23.500,00

7.

5.000,00 Amort. ac. I.M. (281)		
8.470,00 Bancos (572)		
3.000,00 Pérd. proc. I.M. (671)		
	a Equip. proc. inform. (217)	15.000,00
	H.P. IVA repercutido (477)	1.470,00

8.

25.000,00 Equip. proc, infor.(217)		
5.250,00 H.P. IVA soport.(472)		
	a Bancos (572)	30.250,00

9.

20.000,00 Suministros (628)		
50.000,00 Arrend. y cán. (621)		
10.000,00 Serv. prof. ind.(223)		
16.800,00 H.P. IVA soport. (472)		
	a Bancos (572)	96.800,00

10.

2.420,00 Bancos (572)		
	a Ingresos serv. div. (759)	2.000,00
	H.P. IVA reperc.(477)	420,00

11.

20.000,00 Amort. Inm. Mater. (681)		
	a Amort. acum. I.M. (281)	20.000,00

12.

60.000,00 Var. existencias (610)		
	a Mercaderías (300)	60.000,00
50.000,00 Mercaderías (300)		
	a Variac. existencias (610)	50.000,00

ASIENTOS DE FINAL DE EJERCICIO

78.120,00 H.P. IVA reperc. (477)		
	a H.P. IVA soport. (472)	42.420,00
	H.P. Acreed. IVA (4750)	35.700,00
333.500,00 Resultados del ejercicio (129)		
	a Compras merc. (600)	97.000,00
	Sueld. y salar. 640)	100.000,00
	Seg. Soc. a c/empr. (642)	23.500,00
	Pérd. proc. I.M. (671)	3.000,00
	Suministros (628)	20.000.00
	Arrend. y cán. (621)	50.000,00
	Serv. prof. indep. (623)	10.000,00
	Amort. Inm. Mat. (681)	20.000,.00
	Var. existencias (610)	10.000,00
363.000,00 Ventas mercad. (700)		
2.000,00 Ingr. serv. div. (759)		
	a Resultados del ejercicio (129)	365.000,00
31.500,00 Resultados del ejercicio (129)		
	a Remanente (120)	31.500,00

Asiento de cierre

275.000,00 Capital social (100)		
20.000,00 Reserv. legal (112)		
40.000,00 Reserv. volun. (113)		
31.500,00 Remanente (120)		
50.000,00 Deud. l.p. ent. cto (170)		
5.000,00 Proveedores (400)		
35.700,00 H.P. Acreed. IVA (4750)		
10.000,00 H.P. Acreed. retenc.(4751)		
30.000,00 O.S.S. Acreed. (476)		
45.000,00 Amort. Ac. I.M. (281)		
	a Maquinaria (213)	250.000,00
	Mobiliario (216)	10.000,00
	Equip. proc. inform. (217)	100.000,00
	Mercaderías (300)	50.000,00
	Clientes (430)	28.150,00
	Bancos (572)	104.050,00

BALANCE DE SITUACIÓN FINAL

ACTIVO

Maquinaria (223)	250.000,00
Mobiliario (226)	10.000,00
Equip. proc. inform. (227)	100.000,00
Amort. acum. I.M. (282)	-45.000,00
Mercaderías (300)	50.000,00
Clientes (430)	28.150,00
Bancos (572)	104.050,00
TOTAL ACTIVO	497.200,00

PASIVO

Capital social (100)	275.000,00
Reserv. legal (112)	20.000,00
Reserv. volun. (117)	40.000,00
Remanente (120)	31.500,00
Deud. l.p. ent. cto (170)	50.000,00
Proveedores (400)	5.000,00
H.P. Acreed. IVA (4750)	35.700,00
H.P. Acreed. retenc.(4751)	10.000,00
O.S.S. Acreed. (476)	30.000,00
TOTAL PASIVO	497.200,00

TEMA 9: LAS FUENTES DE FINANCIACIÓN DE LA EMPRESA. LA FINANCIACIÓN PROPIA

9.1. CONCEPTO Y CLASES DE FUENTES DE FINANCIACIÓN
9.2. LOS RECURSOS PROPIOS DE LA EMPRESA
9.3. CONTABILIDAD SIMPLIFICADA DE LA FUNDACIÓN DE UNA S.L.
9.4. CONTABILIZACIÓN DE LA DISTRIBUCIÓN DE BENEFICIOS
9.5. REPARTO DE DIVIDENDOS
9.6. FUENTES DE FINANCIACIÓN AJENAS

9.1. CONCEPTO Y CLASES DE FUENTES DE FINANCIACIÓN

El PASIVO de un balance representa la forma en que la empresa financia su ACTIVO, o sea, de dónde obtiene los recursos necesarios para poseer el ACTIVO. Podemos clasificar las fuentes de financiación de la empresa en:

- **Financiación interna o propia**: mediante los recursos propios, bien por aportaciones de capital de los socios, bien por beneficios no distribuidos (reservas), bien mediante subvenciones.
- **Financiación externa o ajena**: mediante deudas a corto y largo plazo.

9.2. LOS RECURSOS PROPIOS DE LA EMPRESA

Están recogidos en el grupo 1 del cuadro de cuentas.

El subgrupo 10 refleja las aportaciones de los socios:

- **100 Capital Social**: es la aportación que hacen los socios en sociedades mercantiles.
- **101 Fondo Social**: es el capital de sociedades sin forma mercantil (fundaciones, por ejemplo).
- **102 Capital**: es el correspondiente a empresas individuales (empresarios autónomos, no sociedades).

En el subgrupo 11 se recogen las Reservas de la empresa. Entre ellas destacamos:

- **112 Reserva legal**: el 10 % de los beneficios se destinarán a **Reserva Legal**, obligación que se mantiene hasta que estas reservas alcancen el 20 % del Capital Social.
- **113 Reservas voluntarias**: son reservas que se realizan voluntariamente cada año.

Los resultados del ejercicio y los beneficios no distribuidos se recogen en el subgrupo 12

- **120 Remanente:** son beneficios de años anteriores que aún no se ha decidido cómo distribuirlos.
- **121 Resultados negativos de ejercicios anteriores:** son pérdidas producidas en ejercicios anteriores que aún no han sido saneadas.
- **129 Resultados del ejercicio:** son los beneficios del ejercicio anterior.

9.3. CONTABILIDAD SIMPLIFICADA DE LA FUNDACIÓN DE UNA S.L.

Una Sociedad de Responsabilidad Limitada puede simplificar en buena medida todo el proceso si el tiempo entre la emisión de las participaciones y la inscripción es corto. Podemos, en ese caso, realizar un único asiento como el siguiente:

Bancos (572)	
	a Capital Social (100)

Después de esto, quedaría liquidar los gastos de constitución y primer establecimiento.

Los **gastos de constitución** (gastos legales obligatorios para crear una empresa: notarios, licencias, etc.) se contabilizan directamente restándolos de las reservas. Entre estos gastos destacamos el Impuesto de Operaciones Societarias que es del 1 % sobre el capital social.

Reservas voluntarias (113)		
H.P. IVA soportado (472)		
(en su caso)	a Bancos o Caja	(572, 570)

Ello hace que, al iniciar su actividad, la empresa se encontrará con Reservas voluntarias negativas, que deberán ser compensadas con los primeros beneficios que obtenga.

Los **gastos de primer establecimiento**, al no ser por imperativo legal, se contabilizan en la cuenta de gastos que corresponda, habitualmente **623: Servicios de profesionales independientes**, ya que corresponderán a estudios de mercado, estudios legales, planes de viabilidad, etc., realizados por profesionales independientes. Se reflejarían en un asiento como el que sigue:

Servicios profesionales independientes (623)		
H.P. IVA soportado (472)		
(en su caso)	a Bancos o Caja	(572, 570)

9.4. CONTABILIZACIÓN DE LA DISTRIBUCIÓN DE BENEFICIOS

Si al cierre del ejercicio anterior la empresa obtuvo beneficios, existirá en el Balance una cuenta que los recoge, que podrá ser (129) Resultados del ejercicio, o bien la (120) Remanente.

Los socios deberán reunirse en Junta Ordinaria para determinar qué hacer con esos beneficios. Es lo que se denomina distribución de beneficios.

Los beneficios se distribuyen, habitualmente, a las siguientes cuentas:

- **112 Reserva legal.**
- **113 Reservas voluntarias.**
- **121 Resultados negativos de ejercicios anteriores.**
- **526 Dividendo activo a pagar**: es la distribución que se aplica a los socios.

Por tanto, el asiento de distribución de beneficios será:

(120) Remanente	
o	
(129) Resultados del ejercicio	
	a (112) Reserva legal
	(113) Reservas voluntarias
	(121) Result. Neg. Ejerc. Anteriores
	(526) Dividendo activo a pagar

La aplicación del resultado ha de seguir los siguientes criterios:

1. **Reserva legal:** como ya se ha comentado, el 10 % de los beneficios debe destinarse a estas reservas, hasta que alcancen el 20 % del Capital Social. Las reservas legales solo podrán utilizarse para compensación de pérdidas, caso de que no existan otras para aplicar a este fin.

2. **Reservas voluntarias negativas:** si existen reservas voluntarias negativas (frecuente al iniciar la actividad, dado que los gastos de constitución generan estas reservas negativas al crearse la empresa), se debe aplicar el resultado para sanear las mismas.

3. **Resultados negativos de ejercicios anteriores:** si existen y el valor de esas pérdidas (que son patrimonio neto negativo) hicieran que el patrimonio neto total fuera inferior a la cifra de capital social, el beneficio se debe destinar necesariamente a sanear estas pérdidas.

4. **Gastos de I+ D:** si existen gastos de I + D y no hubieran reservas suficientes para cubrir la amortización de los mismos, no se puede distribuir dividendos entre los socios.

5. **Reducción de capital:** si ha habido una reducción de capital social, las reservas legales deben ser de, al menos, el 10 % del nuevo capital social. En caso contrario, no puede distribuirse dividendos.

6. **Patrimonio neto:** el Patrimonio Neto no puede ser inferior a la cifra de Capital Social después del reparto de dividendos.

9.5. REPARTO DE DIVIDENDOS

Con respecto a los dividendos, cuando la empresa pague el dividendo a los socios, habrá de retener, por el IRPF, el 19 % del importe a pagar. Esta retención aparecerá en la cuenta 4751 «Hacienda Pública, acreedor por retenciones practicadas». Es posible que durante el ejercicio se hubieran entregado dividendos a cuenta (557 «Dividendo activo a cuenta»), al que ya se le practicó la retención por el IRPF. Por tanto, a la hora de pagar el dividendo definitivo se habrá de restar lo entregado a cuenta y practicar la retención de lo que ahora se paga:

Dividendo activo a pagar (526)
         a Dividendo activo a cuenta (557)
           H.P. acreedora por retenc. p. (4751)
           Bancos o Caja (572, 570)

Ejemplo:

1. Una empresa distribuye un dividendo a cuenta bruto de 6.000,00 € entre sus socios, pagándolo por bancos.

2. La empresa distribuye los beneficios del año, que ascienden a 120.0000,00 €, con cargo a reservas legales (lo obligatorio por ley), reservas voluntarias, 60.000,00 € y el resto para repartir dividendos.

3. Se pagan los dividendos por bancos, deduciendo los entregados a cuenta.

Solución:

1.

6.000,00 Dividendo activo a cuenta (557)
         a H.P. acreed. retenc. pract. (4751)   1.140,00
           Bancos (572)   4.860,00

Se ha aplicado una retención del 19 % a los dividendos. Posteriormente, la empresa pagará a Hacienda esta retención.

2.

120.000,00 Resultados del ejercicio (129)		
a Reserva legal (112)	12.000,00
Reservas voluntarias (113)	60.000,00
Dividendo activo a pagar (526)	48.000,00

A reserva legal el 10 %, como marca la ley. Hemos considerado que los beneficios aparecen en la cuenta 129, pero también podrían estar en la 120 «Remanente».

3.

48.0000,00 Dividendo activo a pagar (526)		
a Dividendo activo a cuenta (557)	6.000,00
H.P. acreed. ret. pract. (4751)	7.980,00
Bancos (572)	34.020,00

Como vemos, se restan los dividendos a cuenta y se calcula la retención sobre lo que falta pagar (19 % de 42.000,00)

9.6. FUENTES DE FINANCIACIÓN AJENAS

Podemos destacar dentro de la financiación ajena las siguientes:

- **Préstamos:** pueden ser a largo o a corto plazo y consisten en una cantidad de dinero que la empresa recibe y que habrá de devolver incluyendo intereses.

- **Póliza de crédito:** llamada así porque se instrumentaliza en una póliza. También se llama «Crédito de disposición gradual» y consiste en una cuenta corriente donde se admite un descubierto pactado. La empresa irá disponiendo de los fondos como en una cuenta corriente normal, hasta el límite concedido, y también podrá ingresar en ella. Los intereses se pagan por la parte dispuesta. Por la no parte no utilizada se pagan unas comisiones. Por ejemplo, podemos pagar un 7 % por lo dispuesto y un 1 % por lo no dispuesto. Los intereses suelen calcularse trimestralmente. Estas pólizas de crédito se conceden habitualmente a 1 año, prorrogables si ambas partes lo aceptan.

- **Créditos comerciales:** son los ofrecidos por los proveedores. Ya los hemos estudiado en el tema de las Compras de mercancías.

- **Descuento:** es la financiación ofrecida por entidades al descontar papel, o sea, letras de cambio o pagarés.

En el tema siguiente analizaremos los préstamos y las pólizas de crédito.

EJERCICIO 9.1

La empresa SALERO S.A. nos presenta un balance de sumas y saldos a 31 de diciembre:

Cuentas deudoras		Cuentas acreedoras	
Construcciones	700.000,00	Capital Social	350.000,00
Maquinaria	100.000,00	Reserva legal	60.000,00
Mat. primas	20.000,00	Reservas voluntarias	40.000,00
Clientes	5.000,00	Deudas a l.p. e.c.	300.000,00
H.P. deudora IVA	5.000,00	H.P. acreed. ret.	3.000,00
Caja	2.000,00	Org. Seg. Soc. acr.	5.000,00
Bancos	54.000,00	Ventas produc. T.	400.000,00
Compras mat. pr.	190.000,00	Ingr. por arrendam.	40.000,00
Devoluciones ventas	1.500,00	Devoluc. Compras	2.000,00
Sueld. y salar.	80.000,00	Var. Ex. Prod. Term.	10.000,00
Seg. Soc. c/empr.	25.000,00		
Otros serv.	10.000,00		
Suministros	15.000,00		
Var. Existencias m.p.	2.500,00		

Se pide:

1. Realizar las operaciones contables del cierre del ejercicio. Calcular el impuesto de sociedades, cuyo tipo impositivo es del 25 %.

2. Contabilizar, para el ejercicio siguiente, la distribución de beneficios, que, según acuerdo en Junta Ordinaria, ha sido

   * Reserva legal: lo preceptuado por Ley.
   * Dividendos: 50 % de los beneficios.
   * Resto a reservas voluntarias.

3. Se paga los dividendos por bancos. La retención que corresponde es del 19 %.

4. Comparar el balance de final de año con el que queda después de la distribución de beneficios.

EJERCICIO 9.2 RESUELTO

La empresa JUGO S.A. nos presenta un balance de sumas y saldos a 31 de diciembre:

Cuentas deudoras		Cuentas acreedoras	
Construcciones	430.000,00	Capital Social	460.000,00
Maquinaria	200.000,00	Reserva legal	90.000,00
Mobiliario	200.000,00	Res. negat.ej. ant.	-10.000,00
Mat. Primas	31.000,00	Deudas a l.p. ent. Cto.	300.000,00
H.P. ret. y pagos c.	3.000,00	Proveed. Inm. L.p.	5.000,00
Div. act. cuenta	5.000,00	Proveedores	2.000,00
Bancos	30.000,00	H.P. acreed. IVA	2.000,00
Compras mat. pr.	129.000,00	H.P. acreed. ret.	5.000,00
Devoluciones ventas	3.000,00	Org. Seg. Soc. acr.	8.000,00
Sueldos y sal.	120.000,00	Ventas prod. Term.	390.000,00
Seg. Soc. ac/empr.	40.000,00	Devoluc. Compras	1.000,00
Suministros	26.000,00	Var. Exist. Prod. Term.	3.000,00
Otros servicios	34.000,00		
Var. Existencias m.p.	5.000,00		

Se pide:

1. Realizar las operaciones contables del cierre del ejercicio. Calcular el impuesto de sociedades, cuyo tipo impositivo es del 25 %.

2. Contabilizar, para el ejercicio siguiente, la distribución de beneficios, que, según acuerdo en Junta Ordinaria, ha sido:

   * Compensar las pérdidas de ejercicios anteriores.
   * Reserva legal: lo necesario según la ley.
   * Dividendos: 40 % de los beneficios.
   * Resto a reservas voluntarias.

3. Se paga los dividendos por bancos, deduciendo los entregados a cuenta. La retención que corresponde es del 19 %.

4. Comparar el balance de final de año con el que queda después de la distribución de beneficios.

SOLUCIÓN EJERCICIO 9.2

Comprobamos que el IVA se ha liquidado porque no aparecen las cuentas de IVA soportado ni IVA repercutido. El siguiente paso es, por tanto, determinar el beneficio. Por diferencia entre las cuentas de gastos e ingresos (grupos 6 y 7), el beneficio es 37.000,00 €.

El 25 % de37.000,00 es 9.250,00 €, que es la cantidad del impuesto

9.250,00 Impuesto corriente (6300)		
a H.P. retenc. y p. cta. (473)		3.000,00
H.P. acreed. Impuestos (4752)		6.250,00

Asiento de regularización

366.250,00 Resultados del ejercicio (129)		
a Compras mat. pr. (600)		129.000,00
Devoluciones ventas (708)		3.000,00
Sueldos y sal. (640)		120.000,00
Seg. Soc. ac/empr. (642)		40.000,00
Suministros (628)		26.000,00
Otros servicios (629)		34.000,00
Var. Existencias m.p. (611)		5.000,00
Impuesto corriente (6300)		9.250,00

390.000,00	Ventas prod. Term. (701)	
1.000,00	Devoluc. Compras (608)	
3.000,00	Var. Exist. Prod. Term. (712)	
	a Resultados del ejercicio (129)	394.000,00
27.750,00	Resultados del ejercicio (129)	
	a Remanente (120)	27.750,00

Asiento de cierre

460.000,00	Capital Social (100)		
90.000,00	Reserva legal (112)		
27.750,00	Remanente (120)		
300.000,00	Deudas a l.p. ent. Cto. (170)		
5.000,00	Proveed. Inm. L.p. (173)		
2.000,00	Proveedores (400)		
2.000,00	H.P. acreed. IVA (4750)		
5.000,00	H.P. acreed. ret. (4751)		
6.250,00	H.P. acreed. Impuestos (4752)		
8.000,00	Org. Seg. Soc. acr. (476)		
50.000,00	Amort. Acum. I.M. (281)		
	a Res. negat. ej. ant. (121)	10.000,00	
	Construcciones (211)	430.000,00	
	Maquinaria (213)	250.000,00	
	Mobiliario (216)	200.000,00	
	Mat. Primas (310)	31.000,00	
	Div. act. cuenta (557)	5.000,00	
	Bancos (572)	30.000,00	

Balance de situación final

ACTIVO   891.000,00

Activo no corriente.....................................830.000,00

Construcciones (211)	430.000,00
Maquinaria (213)	250.000,00
Mobiliario (216)	200.000,00
Amort. Ac. I.M. (281)	-50.000,00

Activo corriente 61.000,00

Existencias...31.000,00

Mater. Primas (310)	31.000,00

Realizable...0,00
(nota: los dividendos a cuenta (557) se consideran un menor valor del patrimonio)

Disponible 30.000,00

Bancos (572)	30.000,00

PASIVO   891.000,00

Patrimonio Neto..562.750,00

Capital Social (100)	460.000,00
Reserva legal (112)	90.000,00
Remanente (120)	27.750,00
Res. negat.ej. ant. (121)	-10.000,00
Divid. a cuenta (557)	-5.000,00

Pasivo no corriente 305.000,00

Deudas a l.p. ent. Cto. (170)	300.000,00
Proveed. Inm. L.p. (173)	5.000,00

Pasivo corriente 23.250,00

Proveedores (400)	2.000,00
H.P. acreed. IVA (4750)	2.000,00
H.P. acreed. ret. (4751)	5.000,00
H.P. acreed. Impuestos (4752)	6.250,00
Org. Seg. Soc. acr. (476)	8.000,00

2.- Realizamos la distribución de beneficios según lo acordado en Junta Ordinaria

27.750,00	Remanente (120)	
	a Result. Neg. Ejerc. Ant. (121)	10.000,00
	Reserva legal (112)	2.000,00
	Div. act. pagar (526)	11.100,00
	Reservas voluntarias (113)	4.650,00

A reserva legal se debe asignar el 10 % del Remanente, pero como el Capital social es de 460.000,00 €, el límite de Reserva legal es el 20 % de ese Capital, o sea, 92.000,00 €. Comprobamos que ya había 90.000,00 € en Reserva legal, con lo que únicamente podemos dotar 2.000,00 € a este concepto, no los 2.775,00 que correspondería por el 10 % de los beneficios.

3.- Pagamos los dividendos

11.100,00	Divid. act. pagar (526)	
	a Div. a cuenta (557)	5.000,00
	H.P. acreed. retenc. (4751)	1.159,00
	Bancos (572)	4.941,00

La retención del 19 % se ha aplicado a lo que quedaba por pagar, teniendo en cuenta que ya se entregó un dividendo a cuenta de 5.000,00. O sea, se aplica el 19 % a 6.100,00 € (11.100,00 – 5.000,00).

TEMA 10: FUENTES DE FINANCIACIÓN AJENAS: PRÉSTAMOS Y PÓLIZAS DE CRÉDITO

10.1. PRÉSTAMOS RECIBIDOS
10.2. PÓLIZAS DE CRÉDITO

10.1. PRÉSTAMOS RECIBIDOS

Los préstamos son cantidades solicitadas a un tercero que entregan a la empresa a cambio de una contraprestación, normalmente en forma de intereses, previamente pactados, y con un plazo determinado para su devolución. Estos préstamos se contabilizan en las siguientes cuentas:

- 170 Deudas a largo plazo con entidades de crédito.
- 171 Deudas a largo plazo.
- 520 Deudas a corto plazo con entidades de crédito.
- 521 Deudas a corto plazo.

Todas estas cuentas aparecen en el HABER, ya que son obligaciones de la empresa. En el DEBE aparecerá Caja o Bancos, y en el caso de cobrarnos comisiones por la concesión del préstamo, este gasto (que no son intereses) se anota en el DEBE con la cuenta 626 «Servicios Bancarios y similares», minorando la cantidad de tesorería.

Caja ó Bancos (570, 572)
Servicios banc. y similares (626)
a Deudas a largo (o corto) plazo
(con entidades de crédito)

Cuando se devuelva el préstamo, la cuenta de Deudas pasará al DEBE y Caja o Bancos al HABER.

En cuanto a los intereses, se contabilizan en la cuenta «Intereses de deudas» (662). Siempre aparecerán en el DEBE, teniendo como contrapartida alguna cuenta de tesorería. Pero lo más habitual en la práctica bancaria es devolver mensualmente los intereses y parte del principal. En ese caso, podría realizarse toda la operación en un único asiento, de la siguiente forma:

Intereses de deudas (662)	
Deudas a largo (o corto) plazo	
(con entidades de crédito) (170, 171, 520, 521)	
a Caja o Bancos (570, 572)	

Es importante tener en cuenta que al finalizar cada ejercicio económico hay que reclasificar la deuda. Esto quiere decir que si hay parte de Deudas a largo plazo que se ha de pagar en el ejercicio siguiente (o sea, corto plazo) habrá que cambiar el nombre en la parte que corresponda, con el siguiente asiento

| Deudas a largo plazo (con entidades de crédito) (170, 171) | |
| a Deudas a corto plazo (con entidades de cto.) (520, 521) | |

Esto permite ofrecer una imagen fiel de la empresa.

Ejemplo:

1. Nos concede un banco un préstamo a 2 años, con un pago cada año, por importe total de 60.000,00 €, de los cuales 30.000,00 pagaremos este año. Nos lo ingresan en la cuenta corriente. El banco nos deduce 1.500,00 en gastos.
2. Pagamos la cuota del año de 30.000,00 € más 2.000,00 € de intereses
3. Reclasificamos la deuda, ya que el resto lo pagaremos en el corto plazo.

Solución:

1.

58.500,00 Bancos (572)	
1.500,00 Serv. banc. y simil. (626)	
a Deudas a c.p. ent. cto. (520)	30.000,00
Deudas a l.p. ent. cto. (170)	30.000,00

2.

30.000,00 Deudas a c.p. ent. cto. (520)	
2.000,00 Intereses deudas (662)	
a Bancos (572)	32.000,00

```
  3.
────────────────────────────────────────────────────────────
  30.000,00 Deudas a l.p. ent. cto. (170)
                a Deudas a c.p. ent. cto. (520)          30.000,00
────────────────────────────────────────────────────────────
```

10.2. PÓLIZAS DE CRÉDITO

Este es el nombre habitual con el que se conoce esta modalidad de crédito, ya que se documenta en una póliza. Un nombre algo más «académico» será el de Créditos de Disposición Gradual.

Consisten en pactar con una entidad financiera (habitualmente) un descubierto en cuenta corriente, de manera que la empresa no dispone en mano del dinero concedido, sino que puede excederse en la cuenta corriente hasta una cantidad pactada. Por la cantidad que la empresa utilice, pagará unos intereses pactados, y por la parte que no utilice, unas comisiones. Suelen tener corta duración, habitualmente un año, aunque puede prorrogarse al finalizar el contrato.

Cuando nos concedan el crédito, no haremos ningún asiento, ya que no se habrá realizado ninguna operación. Únicamente, sabremos que disponemos de una posibilidad de descubierto en la cuenta de la póliza.

Cada vez que se utilice la cuenta de crédito, haremos el asiento:

```
────────────────────────────────────────────────────────────
  Motivo de la disposición (que podría ser un gasto, proveedores, acreedo-
  res, compra de inmovilizado, etc.)
                            a Deudas a corto plazo por
                              crédito dispuesto (5201)
────────────────────────────────────────────────────────────
```

Cuando se cancele la póliza o bien ingresemos dinero en la misma, habremos de realizar el asiento:

```
────────────────────────────────────────────────────────────
  Deudas a corto plazo
  por crédito dispuesto (5201)
                            a Bancos o Caja (572, 570)
────────────────────────────────────────────────────────────
```

Además de pagar los intereses correspondientes utilizando la cuenta 662 «Intereses de deudas».

Ejemplo:

1. Nos conceden una póliza de crédito de 90.000,00 €. Los gastos de formalización ascienden a 1.000,00 € que pagamos a través de la póliza.
2. Pagamos 40.000,00 € a un proveedor a través de la póliza.
3. Ingresamos desde caja 20.000,00 en la cuenta de la póliza
4. Los intereses de la póliza ascienden a 3.000,00 €, pagándolos a través de la póliza.
5. Cancelamos la póliza ingresando el dinero necesario desde nuestra cuenta corriente.

Solución:

1. Por la concesión no hacemos ningún asiento, lo haremos por los gastos.

1.000,00 Serv. banc. y sim. (626)		
	a Deudas c.p. cto. disp. (5201)	1.000,00

2.

40.000,00 Proveedores (400)		
	a Deudas c.p. cto. disp. (5201)	40.000,00

3.

20.000,00 Deudas c.p. cto. disp. (5201)		
	a Caja (570)	20.000,00

4.

3.000,00 Intereses de deudas (662)		
	a Deudas c.p. cto. disp. (5201)	3.000,00

5.

24.000,00 Deudas c.p. cto. disp. (5201)		
	a Bancos (572)	24.000,00

Hemos cancelado el saldo de la cuenta 5201.

EJERCICIO 10.1

1. Nos conceden un préstamo de 60.000,00 €, de los cuales 10.000,00 € son a corto plazo. Los gastos de concesión han sido en total 2.000,00 €.

2. Pagamos la primera mensualidad del préstamo anterior, que asciende a 1.000,00 € de principal y 500,00 € de intereses.

3. Nos conceden una póliza de crédito de 40.000,00.

4. Pagamos por la cuenta de la póliza 1.200,00 € de gastos de concesión de la misma.

5. Decimos cancelar totalmente el préstamo del punto 1 (lo que quede pendiente), lo cual nos supone unos gastos de cancelación de 600,00 €.

6. Pagamos a un proveedor 10.000,00 € a través de la póliza de crédito.

7. Ingresamos desde nuestra cuenta corriente bancaria 5.000,00 € en la póliza de crédito.

EJERCICIO 10.2

El Hotel Malo S.A. nos presenta el saldo de sus cuentas a 01 de enero

Capital Social .. 15.000,00	Materias Primas 3.000,00
Clientes 2.000,00	Proveedores 2.500,00
Mobiliario 8.000,00	Mobiliario 7.000,00
Bancos 2.000,00	Amort. ac. I. M 2.000,00
Reserva legal 3.000,00	H.P. deudora IVA 500,00

Durante el año realizó, de forma resumida, las siguientes operaciones:
1. Prestó servicios de alojamiento por 100.000,00 €, más IVA 10 %, cobrando por caja la mitad y el resto por bancos.
2. Compró 25.000,00 € en materias primas, más IVA 21 %, pagando por bancos, por lo que se obtiene un descuento por pronto pago de 1.000,00 €.
3. Ingresa 50.000,00 € en bancos, desde caja.
4. Los sueldos totales del año fueron los siguientes, pagados por bancos:
   ✓ Sueldos brutos: 20.000,00
   ✓ Seg. Soc. a C/ trabajador: 1.000,00
   ✓ Deuda Seg. Soc. (TC1): 6.000,00
   ✓ Retenciones IRPF: 2.000,00
5. Compra de mesas para el comedor por 5.000,00 €, más IVA 21 %, pagando por bancos.
6. Se paga por bancos 500,00 € a los proveedores del balance.
7. Se aceptó un efecto a 90 días a un proveedor del balance por 1.000,00 €.
8. Se pagan por bancos los siguientes gastos: electricidad, 2.000,00 €; alquiler, 15.000,00 €; teléfono, 3.000,00 €. Todos más IVA 21 %. Además, se paga el agua, 500,00 €, más IVA 8 %, también por bancos.
9. Se obtuvo un préstamo de 5.000,00 € de un banco, a pagar dentro de 3 años, con unos gastos de concesión de 100,00 €.
10. Se vendió parte del mobiliario del balance, valorado en 1.500,00 € y amortizado en 1.200,00 €, cobrando por él, por bancos, 500,00 € más IVA del 21 %.
11. Se cobra por bancos 500,00 € de los clientes del balance.
12. Se cancela por bancos parte del préstamo del punto 9, pagando 1.000,00 € de principal, 200,00 € de intereses y 100,00 € de comisiones.
13. Amortizamos el inmovilizado que existe al finalizar el año por 1.000,00 €.

14. El 31/12 se liquida el IVA del período, teniendo en cuenta el IVA deudor, que se compensa.
15. Las existencias finales de materias primas ascienden a 5.000,00 €.

EJERCICIO 10.3

La empresa MONALI S.A., dedicada al *catering*, nos presenta, de forma desordenada, el saldo en euros de sus cuentas de balance referido a 01 de enero.

Clientes	10.000,00	Mobiliario	20.000,00
Maquinaria	80.000,00	Reserva legal	50.000,00
Capital Social	90.000,00	Amort. Acumul. I.M.	15.000,00
H.P. deudora IVA	10.000,00	Bancos c/c vista	30.000,00
Caja, euros	15.000,00	Proveedores	40.000,00
Materias primas	60.000,00	Productos termin.	20.000,00
Envases	10.000,00	Deudas a l.p. ent. Cto.	60.000,00

Los movimientos durante el año, de forma resumida, han sido los siguientes:

1. Compras de materias primas por 400.000,00 €, con un descuento de promoción de 20.000,000 € y un descuento por pronto pago de 10.000,00 €. IVA 10 %. Se paga por bancos.
2. Ventas de mercaderías por 800.000,00 €, incluyendo además *rappels* a clientes por 30.000,00 € y descuentos por pronto pago por 20.000,00 €. IVA 10 %. Se cobra por bancos.
3. Se pagó por bancos de forma anticipada el préstamo a largo plazo del balance, por el importe total, además de 15.000,00 € de intereses y 2.000,00 € de comisiones bancarias.
4. Se recibió en la cuenta bancaria un préstamo a 9 meses de 100.000,00 € del Banco Riendo, cobrando 5.000,00 € de comisiones.
5. Se vendió parte del mobiliario que aparece en balance, que figuraba en el mismo por 5.000,00 €, con una amortización acumulada de 2.000 €. Se vendió por 1.500,00 €, más 21 % de IVA, cobrándolo por bancos.
6. Del préstamo del punto 4 se paga por bancos unas cuotas totales de 52.000,00 €, correspondiendo 40.000,00 € a cuota de capital (principal), 10.000,00 € de intereses y 2.000,00 € de comisiones bancarias.
7. Se entregaron 40.000,00 € de anticipos a los trabajadores.
8. Las nóminas acumuladas en el año fueron:
   Sueldos brutos 150.000,00
   Seg. Social de los trabajadores 10.000,00
   Deuda Seg. Soc. (TC1) 50.000,00
   Retenciones IRPF 15.000,00

Se aplica el anticipo y se paga el resto por bancos.

9. A unos proveedores del balance a los que se debe 5.000,00 € les entregamos unos pagarés por el total de la deuda.

10. Unos clientes que nos deben 3.000,00 € nos entregan unos pagarés por el importe total.

11. Pagamos por bancos los siguientes gastos: Electricidad, 5.000,00 €; Alquileres, 20.000,00 €; Abogados, 10.000,00 €. Todos más IVA del 21 %.

12. Cobramos por bancos los siguientes ingresos: Asesoramiento fiscal a otra empresa, 2.000,00 €; Comisiones, 4.000,00 €. Todos más IVA del 21 %.

13. Devolvemos 10.000,00 € de materias primas por estar en mal estado, más 10 % de IVA, cobrando por bancos.

14. Realizamos un descuento especial a un cliente de 2.000,00 €, más 10 % de IVA, pagando por bancos.

15. Las existencias finales de mercaderías ascienden a: Materias Primas, 40.000,00 €; Envases, 5.000,00 €; Productos terminados, 30.000,00 €.

16. Se amortiza el inmovilizado que queda al final en un 15 %, sin valor residual.

17. Liquidamos el IVA, compensando el IVA deudor del balance.

Se pide: realizar todo el ciclo contable.

EJERCICIO 10.4 RESUELTO

La empresa ALMAN, S.A. nos informa sobre los saldos de sus cuentas a 01 de enero:

Deudas l. pl.	20.000,00	Maquinaria	40.000,00
Capital social	65.000,00	Mobiliario	20.000,00
Equipos proc. Inf.	15.000,00	Proveedores	10.000,00
Amort. Ac. I.M.	10.000,00	Reserva legal	20.000,00
Mercaderías	20.000,00	Clientes	15.000,00
Bancos, c/c	10.000,00	Caja	5.000,00

Durante el año realizó las siguientes operaciones:

1. Ventas de mercaderías por 500.000,00 €, con *rappel* concedidos de 10.000,00 €, más 21 % IVA, cobradas por bancos.
2. Compras de mercaderías por 300.000,00 €, con descuentos especiales de 5.000,00 € y descuentos por pronto pago de 5.000,00 €, más IVA del 21 %, pagadas por bancos.
3. Del total de deudas a largo plazo, 5.000,00 € vencen antes de un año.
4. Nos conceden una póliza de crédito por 10.000,00 €. Nos cobran, a través de la misma, 300,00 € por gastos de concesión.
5. Pagamos el préstamo a corto plazo de 5.000,00 € del punto 3 a través de la póliza de crédito, además de 1.000,00 € de intereses y 200,00 € de comisiones.
6. Ingresamos en la póliza de crédito 2.000,00 € desde nuestra cuenta corriente del banco.
7. Se vende parte del mobiliario, que estaba contabilizado en 5.000,00 €, con unas amortizaciones acumuladas de 1.000,00 €, cobrando por él 3.000,00 € más 21 % de IVA, por bancos.
8. Se amortiza todo el inmovilizado material que queda a final de año en un 10 %.
9. Se liquida el IVA del período.
10. Las existencias finales de mercaderías ascienden a 15.000,00 €.

Se pide: contabilizar todas las operaciones del ciclo contable.

SOLUCIÓN EJERCICIO 10.4

Balance de situación inicial

ACTIVO		PASIVO	
Maquinaria	40.000,00	Capital social	65.000,00
Mobiliario	20.000,00	Reserva legal	20.000,00
Equipos proc. Inf.	15.000,00	Deudas l. pl.	20.000,00
Amort. Ac. I.M.	-10.000,00	Proveedores	10.000,00
Mercaderías	20.000,00		
Clientes	15.000,00		
Caja	5.000,00		
Bancos, c/c	10.000,00		

Libro diario

40.000,00	Maquinaria (213)	a Capital social (100)	65.000,00
20.000,00	Mobiliario (216)	Reserva legal (113)	20.000,00
15.000,00	Equipos proc. Inf. (217)	Deudas l. pl. (171)	20.000,00
20.000,00	Mercaderías (300)	Proveedores (400)	10.000,00
15.000,00	Clientes (430)	Amort. Ac. I.M. (281)	10.000,00
5.000,00	Caja (570)		
10.000,00	Bancos, c/c (572)		

1.

592.900,00 Bancos (572)		
	a Ventas mercaderías (700)	490.000,00
	H.P. IVA repercutido (477)	102.900,00

2.

290.000,00 Compras mercaderías (600)		
60.900,00 H.P. IVA soportado (472)		
	a Bancos (572)	350.900,00

3.

5.000,00 Deud. l.p. (171)		
	a Deudas corto plazo (521)	5.000,00

4.

Por la apertura de la póliza no se hace ningún asiento. Por los gastos, haremos lo siguiente:

300,00 Serv. banc. y sim. (626)	
a Deud. c.p. cto. disp. (5201)	300,00

5.

5.000,00 Deud. corto plazo (521)	
1.000,00 Intereses de deudas (662)	
200,00 Serv. banc. y sim. (626)	
a Deud. c.p. cto. disp. (5201)	6.200,00

6.

2.000,00 Deud. c.p. cto. disp. (5201)	
a Bancos (572)	2.000,00

7.

3.630,00 Bancos (572)	
1.000,00 Amort. ac. I.M. (281)	
1.000,00 Pérd. proc. I.M. (671)	
a Mobiliario (216)	5.000,00
H.P. IVA reperc. (477)	630,00

8.

7.000,00 Amort. I.M. (681)	
a Amort. acum. I.M. (281)	7.000,00

9.

103.530,00 H.P. IVA repercutido (477)	
a H.P. IVA soportado (472)	60.900,00
H.P. acreed. IVA (4750)	42.630,00

14.

20.000,00 Var. existenc. (610)	
a Mercaderías (300)	20.000,00
15.000,00 Mercaderías (300)	
a Var. exist. (610)	15.000,00

Determinación del resultado

304.500,00	Resultados del ejercicio (129)	
	a Compras mercaderías (600)	290.000,00
	Serv. banc. y sim. (626)	500,00
	Intereses de deudas (662)	1.000,00
	Pérd. proc. I.M. (671)	1.000,00
	Amort. I.M. (681)	7.000,00
	Var. exist. (610)	5.000,00
490.000,00	Ventas mercaderías (700)	
	a Resultados del ejercicio (129)	490.000,00

185.500,00	Resultados del ejercicio (129)	
	a Remanente (120)	185.500,00

Asiento de cierre

65.000,00	Capital social (100)	
20.000,00	Reserva legal (112)	
185.500,00	Remanente (120)	
15.000,00	Deudas largo plazo (171)	
10.000,00	Proveedores (400)	
42.630,00	H.P. acreed. IVA (4750)	
4.500,00	Deud. c.p. cto. disp. (5201)	
16.000,00	Amort. Acum. I.M. (281)	
	a Maquinaria (213)	40.000,00
	Mobiliario (216)	15.000,00
	Equip. proc. inf. (217)	15.000,00
	Mercaderías (300)	15.000,00
	Clientes (430)	15.000,00
	Caja (570)	5.000,00
	Bancos (572)	253.630,00

Balance de situación final

ACTIVO

Maquinaria (213)	40.000,00
Mobiliario (216)	15.000,00
Equip. proc. inf. (217)	15.000,00
Amort. acum. I.M. (281)	-16.000,00
Mercaderías (300)	15.000,00
Clientes (430)	15.000,00
Caja (570)	5.000,00
Bancos (572)	253.630,00
TOTAL	342.630,00

PASIVO

Capital social (100)	65.000,00
Reserva legal (112)	20.000,00
Result. del ejercicio (129)	185.500,00
Deudas largo plazo (171)	15.000,00
Proveedores (400)	10.000,00
H.P. acreed. IVA (4750)	42.630,00
Deud. c.p. cto. disp. (5201)	4.500,00
TOTAL	342.630,00

TEMA 11: IMPUESTO SOBRE BENEFICIOS

11.1. RETENCIONES Y PAGOS A CUENTA
11.2. EL IMPUESTO SOBRE BENEFICIOS
11.3. CASO PARTICULAR: EMPRESARIOS INDIVIDUALES

11.1. RETENCIONES Y PAGOS A CUENTA

Ya hemos visto, al contabilizar las nóminas, que la empresa practica retenciones en las mismas a cuenta del IRPF de los trabajadores. Esas retenciones aparecían en la cuenta **4751 H.P. acreedora por retenciones practicadas**.

Hay otros casos en los que la empresa, como pagadora, retiene a terceros. Por ejemplo, en determinados servicios de profesionales independientes, un 15 % (formadores, asesores, etc.) o en los pagos de alquileres, un 19 %.

La cuenta a utilizar en estos casos es la misma 4751, pero podemos desglosarla con más dígitos para diferenciar las retenciones de los trabajadores, de los alquileres y de los servicios de profesionales.

De esta forma, un pago de alquiler de 1.000,00 € conlleva un IVA del 21 % y una retención del 19 %.

1.000,00	Arrend. y cánones (621)		
210,00	H.P. IVA soportado (472)		
	a H.P. acrred. ret. pract. (4751)	190,00	
	Bancos (572)	1.020,00	

Si pagamos una factura de 2.000,00 por un curso de formación realizado por un profesional independiente, está exento de IVA (la enseñanza está exenta), pero tendrá una retención, en este caso del 15 %

2.000,00	Serv. prof. indep. (623)		
	a H.P. acreed. ret. pract. (4751)	300,00	
	Bancos (572)	1.700,00	

De la misma manera que nosotros retenemos a terceros, también ocurre que, por determinados ingresos, nos han de retener. El caso más habitual son los intereses positivos. Por ejemplo, si obtenemos 200,00 € de intereses positivos en la cuenta corriente, el banco nos retendrá un 19%.

38,00 H.P. retenciones y pagos a cta. (473)	
162,00 Bancos (572)	
	a Otros ingresos financieros (769) 200,00

La nueva cuenta, 473 «Retenciones y pagos a cuenta», recoge todas las retenciones que nos practican a nosotros, que luego podremos deducir del impuesto de sociedades.

De la misma forma, cuando cobramos el alquiler de, por ejemplo, un local de negocio, nos retendrán un 19 % e incluiremos un IVA del 21 %. Si cobramos un alquiler de 2.000,00 € por unas oficinas, haremos el siguiente asiento

380,00 H.P. retenciones y pagos a cuenta (473)		
2.040,00 Bancos (572)		
	a Ingresos por arrendamientos (752)	2.000,00
	H.P. IVA repercutido (477)	420,00

Pero además, en la misma cuenta 473 se recoge también todos los pagos a cuenta que la empresa realiza por el impuesto de sociedades. Los días 20 de abril, 20 de octubre y 20 de diciembre la empresa realizará pagos a cuenta del Impuesto sobre Sociedades que se liquidará el 25 de julio siguiente. Estos pagos a cuenta se contabilizan de la siguiente forma

H.P. retenciones y pagos a cta. (473)
a Bancos o Caja (572)

11.2. EL IMPUESTO SOBRE BENEFICIOS

El 31 de diciembre la empresa ha de contabilizar lo que debe pagar en el Impuesto sobre Sociedades. Contablemente, el Impuesto sobre Sociedades es un gasto para la empresa, y como tal habrá que anotarlo. Para ello se utiliza la cuenta 630 «Impuesto sobre beneficios», desglosada, para más información en la **6300 «Impuesto corriente»**, que aparece en el DEBE del asiento cuando existen beneficios. Cuando existen pérdidas utilizaremos en el HABER la cuenta **6301 «Impuesto diferido»**.

Si hay beneficios, la empresa debe pagar el Impuesto de Sociedades, aplicando un determinado porcentaje a sus beneficios. Dependiendo del tipo de sector en el que desarrolla su actividad la empresa, se aplicarán tipos de gravamen específicos. Pero el tipo general es el 25 %.

Este impuesto se liquida el 31-12 de cada año, pero se paga entre el 1 y el 25 de julio del año siguiente.

En la cuenta 6300 «Impuesto corriente» anotaremos la cantidad resultante de la liquidación del Impuesto. Pero la empresa habrá hecho pagos a cuenta o le habrán practicado retenciones, que se habrán anotado en la cuenta 473 «H.P. retenciones y pagos a cuenta». Estos pagos a cuenta habrá que deducirlos de la cantidad total a pagar, con lo que esa cuenta la anularemos colocándola en el HABER del asiento.

Después de esto, puede resultar una cantidad a pagar, que anotamos en la cuenta 4752 «H.P. acreedor por impuesto de sociedades» (en el HABER), o una cantidad a devolver, que anotaremos en la cuenta 4709 «H.P. deudora por devolución de Impuestos» (en el DEBE).

En caso de deber dinero a Hacienda, el asiento será:

Impuesto corriente (6300)	
	a H.P. ret. y pagos a cuenta (473)
	H.P. acreed. por imp. de Soc. (4752)

Si la liquidación es a devolver, haremos el asiento:

Impuesto corriente (6300)	
H.P. deudora por devolución	
de impuestos (4709)	
	a H.P. retenciones y pagos a cuenta (473)

La cuenta 6300 «Impuesto corriente» es un gasto, y por tanto se lleva a la 129 «Resultado del ejercicio», minorando los beneficios de la empresa.

Ejemplo:

1. Una empresa obtiene un beneficio antes de impuestos de 20.000,00 €. Su tipo impositivo es del 25 % y las retenciones que le habían practicado y los pagos a cuenta realizados suman 3.500,00 €.

2. Una empresa obtiene un beneficio antes de impuestos de 10.000,00 €. Su tipo impositivo es del 25 % y las retenciones que le habían practicado y los pagos a cuenta realizados suman 4.000,00 €.

Solución:

1.

5.000,00 Impuesto corriente (6300)	
a H.P. ret. y pagos a cuenta (473)	º3.500,00
H.P. acreed. por imp. de Soc. (4752)	1.500,00

En impuesto corriente figura 5.000,00 € que corresponde al 25 % de los beneficios (25 % sobre 20.000,00 €). Cancelamos la cuenta «H.P. retenciones y pagos a cuenta» y el resto es la deuda por impuestos.

2.

2.500,00 Impuesto corriente (6300)	
1.500,00 H.P. deudora por devolución de impuestos (4709)	
a H.P. ret. y pagos a cuenta (473)	4.000,00

Al igual que el anterior, el impuesto corriente se calcula aplicando el tipo impositivo al beneficio. Se cancelan las retenciones y pagos a cuenta y, en este caso, el saldo es a favor de la empresa, con lo que procede la devolución de impuestos.

Todo lo visto es en el caso de obtener beneficios. Pero si la empresa obtiene pérdidas, no tendrá que pagar ningún Impuesto de sociedades, aunque esas pérdidas podrán compensarse en los próximos años de los beneficios que se obtengan. Por tanto, esto supone un beneficio futuro para la empresa, ya que en los próximos años pagará menos impuestos.

Por ello, se coloca la cuenta 6301 «Impuesto diferido» en el HABER, como ingreso, por el porcentaje que corresponda sobre el total de pérdidas que ha obtenido la empresa. En el DEBE colocamos la cuenta 4745 «Créditos por pérdidas a compensar del ejercicio», ya que esa cuenta la iremos compensando en los años siguientes para pagar menos impuestos.

Créditos por pérdidas a compensar del ejercicio (4745)	
	a Impuesto diferido (6301)

La cuenta 6301 «Impuesto diferido» es aquí un ingreso, que se llevará a Resultado del ejercicio (lo que hará disminuir nuestras pérdidas). Posteriormente, se cancela «Resultado del ejercicio» con la cuenta «Resultados Negativos de ejercicios anteriores».

Si ha habido pagos a cuenta, la empresa solicitará la devolución de los mismos (ya que no debe pagar nada). Esto lo hará en el asiento siguiente:

H.P. deudora por devolución de impuestos (4709)	
	a H.P. retenciones y pagos a cta. (473)

Todos los asientos vistos hasta aquí se realizan el 31-12. En el próximo año se deducirá del impuesto que corresponda el impuesto diferido. Es lo que se llama «compensar pérdidas». Los pasos a seguir son los siguientes:

1. Calcular el nuevo impuesto de sociedades, compensando las pérdidas del año anterior y deduciendo los pagos a cuenta y retenciones (o sea, por el importe a pagar real)

Impuesto corriente (6300)	
	a H.P. retenciones y pagos a cuenta (473)
	H.P. acreed. por impuesto de Soc. (4752)

2. Realizar un asiento de compensación de pérdidas por las del año anterior

Impuesto diferido (6301)	
	a Créditos por pérdidas a compensar del ejercicio (4745)

3. Llevar las dos cuentas de impuestos a Resultados del ejercicio

Resultado del ejercicio (129)	
	a Impuesto corriente (6300)
	Impuesto diferido (6301)

Ejemplo:

1. En el año X, la empresa obtiene pérdidas por 1.000,00 €, reflejadas en la cuenta «Resultados del ejercicio». Su tipo impositivo es del 25 %. Le habían practicado retenciones por 300,00 €.

2. En el año X+1, la empresa anterior obtiene unos beneficios de 4.000,00 €. Su tipo impositivo es del 25 % y las retenciones y pagos a cuenta suman 400,00 €.

Solución:

1.

250,00 Créditos por pérdidas a compensar del ejercicio (4745)	
	a Impuesto diferido (6301) 250,00

Se realiza este asiento por el 25 % de las pérdidas.

A continuación, se solicita la devolución de los impuestos, ya que la empresa no debe pagar nada.

300,00 H.P. deudora por devolución de impuestos (4709)	
	a H.P. retenciones y pagos a cta. (473) 300,00

Y, por último, se lleva a resultados la cuenta de impuesto diferido

250,00 Impuesto diferido (6301)	
	a Resultado del ejercicio (129) 250,00

De esta forma, el resultado del ejercicio tendrá un saldo negativo de 750,00 € (1.000,00 € de pérdidas – 250,00 € por el ahorro futuro de impuestos). Llevamos el saldo del resultado del ejercicio a la cuenta «Resultados negativos de ejercicios anteriores» (121).

750,00 Resultados negativos de ejercicios anteriores (121)	
a Resultados del ejercicio (129)	750,00

2.

750,00 Impuesto corriente (6300)	
a H.P. retenciones y pagos a cuenta (473)	400,00
H.P. acreed. por impuesto de Soc. (4752)	350,00

Reflejamos en la cuenta «Impuesto corriente» el resultado de aplicar el 25 % a los beneficios (25 % sobre 4.000,00 €), restándole los 250,00 € del efecto positivo de las pérdidas del año anterior sobre el impuesto (lo que en el año anterior contabilizamos como «Impuesto diferido».

A continuación, saldamos la cuenta «Créditos por pérdidas a compensar del ejercicio», ya que las hemos compensado.

250,00 Impuesto diferido (6301)	
a Créditos por pérdidas a compensar del ejercicio (4745)	250,00

Ahora, llevamos las dos cuentas de impuestos a resultados

1.000,00 Resultado del ejercicio (129)	
a Impuesto corriente (6300)	750,00
Impuesto diferido (6301)	250,00

El beneficio neto después de impuestos será 3.000,00 € (4.000,00 – 1.000,00), que podemos llevarlo a «Remanente».

3.000,00 Resultado del ejercicios (129)	
a Remanente (120)	3.000,00

11.3. CASO PARTICULAR: EMPRESARIOS INDIVIDUALES

Según la normativa contable, los empresarios individuales no deben registrar ningún importe por sus impuestos sobre el beneficio, ni tampoco por los pagos a cuenta que realicen. Si realizan pagos a cuenta o bien pagan sus impuestos a través de las cuentas bancarias o efectivo de su empresa, utilizarán únicamente la cuenta 550 «Titular de la explotación» para registrarlos. Esta cuenta no supone ningún gasto ni ingreso, sino que refleja la relación de tesorería entre la empresa y su titular.

Ejemplo:

1. Un empresario individual realiza un pago a cuenta del IRPF por 200,00 € pagando a través de la cuenta bancaria de la empresa.
2. Este empresario retira 400,00 € de la caja de la empresa para su uso personal.
3. El empresario reintegra 300,00 € en la caja de la empresa.

Solución:

1.

200,00 Titular de la explotación (550)	
a Bancos (572)	200,00

2.

400,00 Titular de la explotación (550)	
a Caja (570)	400,00

3.

300,00 Caja (570)	
a Titular de la explotación (550)	300,00

EJERCICIO 11.1

La empresa NODRI S.A. nos presenta sus cuentas a 01 de enero

Capital Social 10.000,00
Reserva legal 2.000,00
Maquinaria 5.000,00
Mercaderías 2.000,00
Bancos 1.000,00
Clientes 3.000,00
Proveedores 2.000,00
Mobiliario 3.000,00

Durante el año ha realizado las siguientes operaciones:

1. Venta de mercaderías cobradas por caja: 40.000,00 €, más 21 % IVA.

2. Ingresos en bancos desde caja por 45.000,00 €.

3. Compras de mercaderías pagadas por bancos por 30.000,00 € más 21% IVA.

4. Pago a proveedores por bancos: 1.000,00€.

5. Cobro a clientes por bancos: 2.000,00 €.

6. Amortización de inmovilizado: 10 %.

7. Se paga por bancos 2.000,00 € a cuenta del impuesto de sociedades.

8. Se recibe en la cuenta del banco unos intereses positivos por la cuenta corriente de 500,00 €, con una retención del 19 %.

9. Existencias finales de mercaderías: 3.000,00 €.

10. La empresa liquida el Impuesto sobre Beneficios sabiendo que el tipo impositivo es del 25 % de sus beneficios.

Se pide: realizar todos los asientos del ciclo contable hasta el balance final.

EJERCICIO 11.2

Dados los saldos de las siguientes cuentas:

Elementos de transporte 5.000,00
Equipos proceso información.............1.000,00
Capital Social 8.000,00
Reserva legal 1.000,00
Materias Primas...............................2.000,00
Maquinaria 4.000,00
Clientes, efectos a cobrar 1.000,00
Proveedores, efectos a pagar 2.000,00
Deudas a l.p. entidades cto. 4.000,00
Mobiliario..1.000,00
H.P. deudora por IVA........................1.000,00

Contabilizar las siguientes operaciones

1. Ventas de productos terminados, recibiendo pagarés del cliente, por 20.000,00 €, más 21 % IVA.
2. Compra de materias primas, entregando pagarés al proveedor, por 15.000,00 € más 21 % IVA.
3. Cobro por bancos de 24.000,00 € de efectos de clientes.
4. Pago por bancos de 18.000,00 € de efectos a proveedores.
5. Los sueldos han sido: Salario bruto, 3.000,00; Seguridad Social a c/ trabajador 200,00; deuda a la Seguridad Social total, 1.000,00; retenciones de Hacienda 300,00. Se paga por bancos.
6. Se recibe la factura de alquiler por 1.000,00 €, más 21 % de IVA, reteniendo un 19 % por impuestos, que aún no se ha pagado.
7. Se paga el alquiler anterior por bancos.
8. Cobro por bancos de 100,00 € mas 21 % IVA por comisiones a otra empresa.
9. Se amortiza todo el inmovilizado en un 5 % lineal.
10. Se paga por bancos 1.000,00 € a cuenta del Impuesto sobre Sociedades.
11. Existencias finales de materias primas: 1.000,00 €. Existencias finales de productos terminados: 2.000,00 €.
12. Se liquida el IVA del período, teniendo en cuenta el IVA deudor que se compensa.

13. El tipo impositivo de la empresa en el Impuesto sobre Beneficios es del 25 %.

Se pide: realizar todos los asientos del ciclo contable.

EJERCICIO 11.3

La empresa PRECIO S.A. nos presenta los saldos de sus cuentas a 01 de enero

Equip. proceso inform. 30.000,00
H.P. deudor por IVA 10.000,00
Capital social 240.000,00
Mobiliario 60.000,00
Amort. acum. I.Mat. 37.500,00
Reserva legal 20.000,00
H.P. acreedora impuest. 50.000,00
Mercaderías 50.000,00
Elemen. transporte 70.000,00
Deudas a largo plazo 45.000,00
Deudas a corto plazo 5.000,00
Bancos c/c vista € 67.500,00
Maquinaria 90.000,00
Clientes 20.000,00

Durante el año realizó, de forma resumida, las siguientes operaciones:

1. Un cliente entrega un anticipo de 2.000,00 € más 21 % de IVA con un cheque bancario.

2. Entrega a un proveedor un anticipo de 3.000,00 € más 21 % de IVA, por bancos.

3. Recibe una factura de 200.000,00 con un descuento por pronto pago de 5.000,00 €, todo más 21 % de IVA, descontando el anticipo del punto 2 y entregando un pagaré por el resto.

4. Las ventas totales han sido de 360.000.00 €, más 21 % de IVA, se descuenta el anticipo del punto 1 y se recibe un pagaré por el resto.

5. Se paga por bancos el pagaré del punto 3.

6. El 25 de julio se paga por bancos el impuesto de sociedades del año anterior.

7. Los intereses recibidos por la cuenta corriente suman 5.000,00 €, con una retención del 19 %.

8. Se paga por bancos la cuota de préstamo a corto plazo del balance, más 3.000,00 € de intereses.

9. Se realiza un pago a cuenta del Impuesto de Sociedades por 70.000,00 €, por bancos.

10. Se paga por bancos los siguientes gastos: electricidad, 2.000,00; teléfono, 5.000,00 €; asesor fiscal, 3.000,00; todo más 21 % de IVA.

11. Se cobra por bancos 1.000,00 € más 21 % de IVA por comisiones.

12. Se amortiza todo el inmovilizado material en 6 años sin valor residual por el método de porcentaje constante, sabiendo que el porcentaje máximo según tablas es del 10 %. Amortizamos el segundo año.

13. Se liquida el IVA del período, compensando el que tenemos pendiente.

14. Las nóminas resumidas arrojan la siguiente información: sueldos brutos, 60.000,00; Seg. Social trabajadores, 3.800,00 €; retenciones IRPF, 6.000,00 €; deuda a la Seg. Social (TC1), 18.000,00. Se paga por bancos.

15. La empresa está realizando un proyecto de investigación propio, aunque parte de la misma se ha encargado a la universidad. Pagamos ahora, por bancos, 3.000,00 € a la universidad.

16. La empresa considera que el proyecto de investigación tendrá éxito. El total acumulado de los gastos en el mismo suma 10.000,00 € y decide activarlos.

17. El inventario de existencias finales de mercaderías suma 30.000,00 €.

18. El Impuesto sobre Sociedades es del 25 % del beneficio obtenido.

EJERCICIO 11.4 RESUELTO

1. Cobramos por bancos el alquiler de una nave industrial por 3.000,00 €, más 21 % de IVA, con una retención del 19 %.

2. El banco nos liquida los intereses positivos de las cuentas bancarias, por un importe de 100,00 € y una retención del 19 %.

3. Se paga a cuenta del impuesto de sociedades 2.000,00 € por bancos.

4. La empresa anterior tributa en el Impuesto de Sociedades por el 25 %. Los beneficios obtenidos han sido:

Caso A: beneficios por 60.000,00 €

Caso B: beneficios por 5.000,00 €

Caso C: pérdidas por 10.000,00 €

Se pide: contabilizar todas las operaciones para cada uno de los casos descritos.

SOLUCIÓN EJERCICIO 11.4

1.

3.060,00 Bancos (572)	
570,00 H.P. retenc. y pagos a cta. (473)	
a Ingresos por arrendamientos (752)	3.000,00
H.P. IVA repercutido (477)	630,00

2.

81,00 Bancos (572)	
19,00 H.P. retenc. y pagos a cta. (473)	
a Otros ingresos financieros (769)	100,00

3.

2.000,00 H.P. retenc. y pagos a cta. (473)	
a Bancos (572)	2.000,00

4.

Caso A

15.000,00 Impuesto corriente (6300)	
a H.P. retenc. y pagos a cta. (473)	2.589,00
H.P. acreed. impuesto Soc. (4752)	12.411,00

60.000,00 x 25 % = 15.000,00 €

Este asiento se realiza el 31 de diciembre. El próximo 25 de julio se pagará a Hacienda 12.411,00 €.

Caso B

1.250,00 Impuesto corriente (6300)	
1.339,00 H.P. deud. por dev. impuesto (4709)	
a H.P. retenc. y pagos a cta. (473)	2.589,00

En este caso solicitaremos a Hacienda la devolución de 1.339,00 € en nuestro declaración del próximo 25 de julio.

Caso C

2.500,00 Créditos por pérdidas a compensar del ejercicio (4745)	
a Impuesto diferido (6301)	2.500,00

2.589,00 H.P. deudora por devolución de impuestos (4709)	
a H.P. retenc. y pagos a cta. (473)	2.589,00

De nuevo, en este caso, solicitaremos la devolución de 2.589,00 € cuando entreguemos la declaración del impuesto el próximo 25 de julio. El impuesto diferido de 2.500,00 nos lo podremos compensar en los ejercicios siguientes.

EJERCICIO 11.5 RESUELTO

La empresa LABRI S.A. nos presenta los saldos de sus cuentas a 01 de enero

Equip. proceso inform.	50.000,00
H.P. acreedora IVA	15.000,00
Capital social	100.000,00
Mobiliario	30.000,00
Elemen. transporte	55.000,00
Clientes	25.000,00
Reserva legal	10.000,00
H.P. acreedora impuest.	20.000,00
Mercaderías	45.000,00
Deudas a corto plazo	20.000,00
Bancos c/c vista €	20.000,00
Amort. acum. I.Mat.	20.000,00
Remanente	40.000,00

Durante el año realizó, de forma resumida, las siguientes operaciones:

1. Compra de 200.000,00 € en mercaderías, con un descuento por pronto pago de 2.000,00 €, más 21% de IVA. Se paga por bancos

2. Venta de 300.000,00 € en mercaderías, con un *rappel* en factura de 4.000,00 €, más 21 % de IVA, cobrando por bancos.

3. Un proveedor nos hace un descuento por pronto pago de 500,00 € más 21 % de IVA, que cobramos por bancos.

4. Hacemos un descuento de promoción a un cliente por 1.000,00 € más 21 % de IVA, que pagamos por bancos.

5. El 30 de enero se paga por bancos el IVA acreedor del año anterior.

6. El 25 de julio se paga por bancos el impuesto de sociedades del año anterior.

7. Los intereses recibidos por la cuenta corriente suman 500,00 €, con una retención del 19 %.

8. Se paga por bancos la cuota de préstamo por 20.000,00 € de principal y 4.000,00 € de intereses.

9. Se compra una maquinaria por 15.000,00 € más 21 % de IVA, pagando por bancos.

10. Se realiza un pago a cuenta del Impuesto de Sociedades por 10.000,00 €, por bancos.

11. Se amortiza todo el inmovilizado en 20.000,00 €.

12. Se liquida el IVA del período.

13. Las existencias finales suman 60.000,00 €.

14. El Impuesto sobre Sociedades es del 25 %.

SOLUCIÓN EJERCICIO 11.5

Balance de situación inicial

ACTIVO

Mobiliario (216)	30.000,00
Equip. proceso inform. (217)	50.000,00
Elemen. transporte (218)	55.000,00
Amort. acum. I.Mat. (281)	-20.000,00
Mercaderías (300)	45.000,00
Clientes (430)	25.000,00
Bancos c/c vista € (572)	20.000,00

PASIVO

Capital social (100)	140.000,00
Reserva legal (112)	10.000,00
H.P. acreedora IVA (4750)	15.000,00
H.P. acreedora impuest. (4752)	20.000,00
Deudas a corto plazo (521)	20.000,00

Asiento de apertura

30.000,00	Mobiliario (216)	
50.000,00	Equip. proceso inform. (217)	
55.000,00	Elemen. transporte (218)	
45.000,00	Mercaderías (300)	
25.000,00	Clientes (430)	
20.000,00	Bancos c/c vista € (572)	
	a Capital social (100)	140.000,00
	Reserva legal (112)	10.000,00
	H.P. acreedora IVA (4750)	15.000,00
	H.P. acreedora impuest. (4752)	20.000,00
	Deudas a corto plazo (521)	20.000,00
	Amort. acum. I.Mat. (281)	20.000,00

1.

198.000,00 Compras mercaderías (600)	
41.580,00 H.P. IVA soportado (472)	
a Bancos (572)	239.580,00

2.

358.160,00 Bancos (572)	
a Ventas mercaderías (700)	296.000,00
H.P. IVA repercutido (477)	62.160,00

3.

605,00 Bancos (572)	
a Descuento compras p.p. (606)	500,00
H.P. IVA soportado (472)	105,00

4.

1.000,00 Devol. Ventas y o.s. (708)	
210,00 H.P. IVA repercutido (477)	
a Bancos (572)	1.210,00

5.

15.000,00 H.P. acreed. IVA (4750)	
a Bancos (572)	15.000,00

6.

20.000,00 H.P. acreed. impuestos (4752)	
a Bancos (572)	20.000,00

7.

405,00 Bancos (572)	
95,00 H.P. retenc. y p.c. (473)	
a Otros ingresos financieros (769)	500,00

8.

20.000,00 Deudas a corto plazo (521)	
4.000,00 Intereses de deudas (662)	
a Bancos (572)	24.000,00

9.

15.000,00 Maquinaria (213)	
3.150,00 H.P. IVA soportado (472)	
a Bancos (572)	18.150,00

10.

10.000,00 H.P. retenc. y p.c. (473)	
a Bancos (572)	10.000,00

11.

20.000,00 Amort. I.M. (681)	
a Amort. Acum.. I.M. (281)	20.000,00

12.

61.950,00 H.P. IVA repercutido (477)	
a H.P. IVA soportado (472)	44.625,00
H.P. acreed. IVA (4750)	17.325,00

13.

45.000,00 Var. exist. merc. (610)	
a Mercaderías (300)	45.000,00
60.000,00 Mercaderías (300)	
a Var. exist. merc. (610)	60.000,00

14. Para calcular el Impuesto sobre Sociedades determinaremos primero el resultado:

223.000,00 Resultados del ejercicio (129)	
a Compras mercad. (600)	198.000,00
Devol. Ventas y o.s. (708)	1.000,00
Intereses deudas (662)	4.000,00
Amort. I.M. (681)	20.000,00
296.000,00 Ventas mercad. (700)	
500,00 Desc. Compras p.p. (606)	
500,00 Otros ingresos financ. (769)	
15.000,00 Var. exist. merc. (610)	
a Resultados del ejercicio (129)	312.000,00

El beneficio ha sido de 89.000,00 € (312.000,00 – 223.000,00). El impuesto será del 25 %, por tanto, 22.250,00 €.

22.250,00 Impuesto corriente (6300)		
	a H.P. retenc. y p.c. (473)	10.095,00
	H.P. acreed. impuestos (4752)	12.155,00
22.250,00 Resultados del ejercicio (129)		
	a Impuesto corriente (6300)	22.250,00

El beneficio después de impuestos ha sido de 71.200,00 €.

Asiento de cierre

140.000,00 Capital social (100)	
10.000,00 Reserva legal (112)	
66.750,00 Resultados del ejercicio (129)	
17.325,00 H.P. acreedora IVA (4750)	
12.155,00 H.P. acreedora impuest. (4752)	
40.000,00 Amort. Ac. I.M. (281)	
a Maquinaria (213)	15.000,00
Mobiliario (216)	30.000,00
Equip. proceso inform. (217)	50.000,00
Elemen. transporte (218)	55.000,00
Mercaderías (300)	60.000,00
Clientes (430)	25.000,00
Bancos c/c vista € (572)	51.230,00

Balance de situación final

ACTIVO

Maquinaria (213)	15.000,00
Mobiliario (216)	30.000,00
Equip. proceso inform. (217)	50.000,00
Elemen. transporte (218)	55.000,00
Amort. acum. I.Mat. (281)	-40.000,00
Mercaderías (300)	60.000,00
Clientes (430)	25.000,00
Bancos c/c vista € (572)	51.230,00
TOTAL	246.230,00

PASIVO

Capital social (100)	140.000,00
Reserva legal (112)	10.000,00
Resultados del ejercicio (129)	66.750,00
H.P. acreedora IVA (4750)	17.325,00
H.P. acreedora impuest. (4752)	12.155,00
TOTAL	246.230,00

EJERCICIO 11.6 RESUELTO

La empresa MEPI S.A. nos presenta los saldos de sus cuentas a 01 de enero

Mercaderías	62.000,00
Equip. proceso inform.	20.000,00
H.P. acreedora IVA	10.000,00
Capital social	160.000,00
Mobiliario	20.000,00
Elemen. transporte	30.000,00
Deudas a largo plazo	40.000,00
Reserva legal	20.000,00
H.P. acreedora impuest	30.000,00
Deudas a corto plazo	10.000,00
Bancos c/c vista €	10.000,00
Amort. acum. I.Mat	32.000,00
Maquinaria	150.000,00
Clientes	10.000,00

Durante el año realizó, de forma resumida, las siguientes operaciones:

1. Recibe una factura de 250.000 € de mercaderías, con un descuento por pronto pago de 10.000,00 €, todo más 21 % de IVA, pagada por bancos.

2. Las ventas totales han sido de 400.000,00 € más 21 % IVA, cobrando por bancos.

3. Se concede a un cliente un *rappel* de 600,00 € más 21 % de IVA que decide dejar como anticipo.

4. El 30 de enero se paga por bancos el IVA acreedor del año anterior.

5. El último día de plazo se paga por bancos el impuesto de sociedades del año anterior.

6. Los intereses recibidos por la cuenta corriente suman 600,00 €, con una retención del 19 %.

7. Se paga por bancos la cuota de préstamo a corto plazo del balance, más 5.000,00 € de intereses.

8. Se realiza un pago a cuenta del Impuesto de Sociedades por 60.000,00 €, por bancos.

9. Se vende parte de la maquinaria por 20.000,00 € más 21 % de IVA. Estaba valorada en balance por 35.000.00 € y amortizada en 5.000,00 €. Se cobra por bancos.

10. Se amortiza el inmovilizado en 15.000,00 €

11. Se liquida el IVA del período.

12. Las existencias finales de mercaderías suman 50.000,00 €

13. El Impuesto sobre Sociedades es del 25 % del beneficio obtenido.

SOLUCIÓN EJERCICIO 11.6

Balance de situación inicial

ACTIVO

Maquinaria (213)	150.000,00
Mobiliario (216)	20.000,00
Equip. proceso inform. (217)	20.000,00
Elemen. transporte (218)	30.000,00
Amort. acum. I.Mat (281)	-32.000,00
Mercaderías (300)	62.000,00
Clientes (430)	10.000,00
Bancos c/c vista € (572)	10.000,00

PASIVO

Capital social (100)	160.000,00
Reserva legal (112)	20.000,00
Deudas a largo plazo (171)	40.000,00
H.P. acreedora IVA (4750)	10.000,00
H.P. acreedora impuest (4752)	30.000,00
Deudas a corto plazo (521)	10.000,00

Asiento de apertura

150.000,00	Maquinaria (213)	
20.000,00	Mobiliario (216)	
20.000,00	Equip. proceso inform. (217)	
30.000,00	Elemen. transporte (218)	
62.000,00	Mercaderías (300)	
10.000,00	Clientes (430)	
10.000,00	Bancos c/c vista € (572)	
	a Capital social (100)	160.000,00
	Reserva legal (112)	20.000,00
	Deudas a largo plazo (171)	40.000,00
	H.P. acreedora IVA (4750)	10.000,00
	H.P. acreedora impuest (4752)	30.000,00
	Deudas a corto plazo (521)	10.000,00
	Amort. Ac. I.M. (281)	32.000,00

1.

240.000,00 Compras mercaderías (600)	
50.400,00 H.P. IVA soportado (472)	
a Bancos (572)	290.400,00

2.

484.000,00 Bancos (572)	
a Ventas mercaderías (700)	400.000,00
H.P. IVA repercutido (477)	84.000,00

3.

600,00 *Rappels* ventas (709)	
126,00 H.P. IVA soportado (472)	
a Anticipo de clientes (438)	600,00
H.P. IVA soportado (472)	126,00

4.

10.000,00 H.P. acreed. IVA (4750)	
a Bancos (572)	10.000,00

5.

30.000,00 H.P. acreed. impuestos (4752)	
a Bancos (572)	30.000,00

6.

486,00 Bancos (572)	
114,00 H.P. retenc. y p.c. (473)	
a Otros ingresos financieros (769)	600,00

7.

10.000,00 Deudas a corto plazo (521)	
5.000,00 Intereses de deudas (662)	
a Bancos (572)	15.000,00

8.

60.000,00 H.P. retenc. y p.c. (473)	
a Bancos (572)	60.000,00

9.

24.200,00 Bancos (572)		
5.000,00 Amort. acum. I.M. (281)		
10.000,00 Pérd. proced. I.M. (671)		
	a Maquinaria (213)	35.000,00
	H.P. IVA reperc. (477)	4.200,00

10.

15.000,00 Amort. I.M. (681)		
	a Amort. acum. I.M. (281)	15.000,00

11.

88.200,00 H.P. IVA reperc. (477)		
	a H.P. IVA soportado (472)	50.400,00
	H.P. acreed. por IVA (4750)	37.800,00

12.

62.000,00 Var. exist. mercad. (610)		
	a Mercaderías (300)	62.000,00
50.000,00 Mercaderías (300)		
	a Var. exist. mercad. (610)	50.000,00

13.

Calcularemos el resultado

282.600,00 Resultados del ejercicio (129)		
	a Compras mercaderías (600)	240.000,00
	Rappels ventas (709)	600,00
	Intereses de deudas (662)	5.000,00
	Pérd. proc. I.M. (671)	10.000,00
	Amort. I.M. (681)	15.000,00
	Var. exist. mercad. (610)	12.000,00
400.000,00 Ventas mercad. (700)		
600,00 Otros ingresos financieros (769)		
	a Resultados del ejercicio (129)	400.600,00

El beneficio ha sido de 118.000,00 € (400.600 - 282.600,00)

El impuesto sobre sociedades será de 29.500,00 € (25 % sobre 118.000,00)

29.500,00 Impuesto corriente (6300)	
30.614,00 H.P. deud. por devol. impuestos (4709)	
a H.P. retenc. y p.c. (473)	60.114,00

Llevamos el impuesto a resultados

29.500,00 Resultados del ejercicio (129)	
a Impuesto corriente (6300)	29.500,00

El beneficio después de impuestos es de 88.500,00 € (118.000,00 – 29.500,00).

Asiento de cierre

160.000,00 Capital social (100)	
20.000,00 Reserva legal (112)	
88.500,00 Resultados del ejercicio (129)	
40.000,00 Deudas a largo plazo (171)	
600,00 Anticipos de cientes (438)	
37.800,00 H.P. acreedora IVA (4750)	
42.000,00 Amort. Ac. I.M. (281)	
a Maquinaria (213)	115.000,00
Mobiliario (216)	20.000,00
Equip. proceso inform. (217)	20.000,00
Elemen. transporte (218)	30.000,00
Mercaderías (300)	50.000,00
Clientes (430)	10.000,00
H.P. deudora devol. imp. (4709)	30.614,00
Bancos c/c vista € (572)	113.286,00

Balance de situación final

<u>ACTIVO</u>

115.000,00 Maquinaria (213)
  20.000,00 Mobiliario (216)
  20.000,00 Equip. proceso inform. (217)
  30.000,00 Elemen. transporte (218)
 -42.000,00 Amort. acum. I.Mat (281)
  50.000,00 Mercaderías (300)
  10.000,00 Clientes (430)
  30.614,00 H.P. deudora devol. imp. (4709)
113.286,00 Bancos c/c vista € (572)

346.900,00

<u>PASIVO</u>

160.000,00 Capital social (100)
  20.000,00 Reserva legal (112)
  88.500,00 Resultados del ejercicio (129)
  40.000,00 Deudas a largo plazo (171)
     600,00 Anticipos de cientes (438)
  37.800,00 H.P. acreedora IVA (4750)

346.900,00

TEMA 12: CONFECCIÓN DE LAS CUENTAS ANUALES

12.1. LAS CUENTAS ANUALES
12.2. EL BALANCE DE SITUACIÓN
12.3. LA CUENTA DE RESULTADOS
12.4. LA MEMORIA

12.1. LAS CUENTAS ANUALES

Las cuentas anuales está formadas por:

- Balance de situación
- Cuadro de Pérdidas y Ganancias
- Memoria
- Estado de cambios del Patrimonio Neto, aunque desde el ejercicio 2017 deja de ser obligatorio para las PYMES.

Las cuentas anuales se elaborarán con una periodicidad de doce meses, salvo en los casos de constitución, modificación de la fecha de cierre del ejercicio social o disolución. Deberán ser formuladas por el empresario o los administradores, quienes responderán de su veracidad, en el plazo máximo de tres meses, a contar desde el cierre del ejercicio.

Deberán ser firmadas por el empresario, por todos los socios ilimitadamente responsables por las deudas sociales, o por todos los administradores de la sociedad; si faltara la firma de alguno de ellos, se hará expresa indicación de la causa, en cada uno de los documentos en que falte.

El balance, la cuenta de pérdidas y ganancias y la memoria deberán estar identificados; indicándose de forma clara y en cada uno de dichos documentos su denominación, la empresa a que corresponden y el ejercicio al que se refiere.

Se elaborarán expresando sus valores en euros. En cada partida deberán figurar, además de las cifras del ejercicio que se cierra, las correspondientes al ejercicio inmediatamente anterior. A estos efectos, cuando unas y otras no sean comparables, bien por haberse producido una modificación en la estructura, bien por realizarse un cambio de criterio contable o subsanación de error, se deberá proceder a adaptar el ejercicio precedente, a efectos de su presentación en el ejercicio al que se refiere las cuentas anuales, informando de ello detalladamente en la memoria.

No figurarán las partidas a las que no corresponda importe alguno en el ejercicio ni en el precedente y no podrá modificarse la estructura de un ejercicio a otro, salvo casos excepcionales que se indicarán en la memoria.

Podrán añadirse nuevas partidas a las previstas en los modelos recogidos en el PGCPYMES, siempre que su contenido no esté previsto en las existentes. Podrá hacerse una subdivisión más detallada de las partidas que aparecen en los modelos.

Podrán agruparse las partidas precedidas de números árabes en el balance y estado de cambios en el patrimonio neto, si solo representan un importe irrelevante para mostrar la imagen fiel o si se favorece la claridad. Cuando proceda, cada partida contendrá una referencia cruzada a la información correspondiente dentro de la memoria.

Por otra parte, cabe mencionar que las Cuentas Anuales abreviadas (a las que se refiere el Plan General de Contabilidad para PYMES) podrán presentarla las sociedades que cumplan los siguientes requisitos durante dos ejercicios consecutivos:

a) Balance y Memoria abreviados aquellas que, al cierre del ejercicio cumplan dos de las circunstancias siguientes:

- Total del activo no supere 4.000.000,00 €
- Importe neto de su cifra de negocios no supere 8.000.000,00 €
- Número medio de trabajadores no sea superior a 50.

b) Cuenta de Pérdidas y Ganancias abreviada, aquellas que, al cierre del ejercicio cumplan dos de las circunstancias siguientes:

- Total del activo no supere 11.400.000,00 €
- Importe neto de cifra de negocios no supere 22.800.000,00 €
- Número medio de trabajadores no sea superior a 250

Los empresarios individuales que deban presentar cuentas anuales (cuyo volumen de negocio supere 600.000,00 € anuales o estén incluidos en Estimación Directa normal) presentarán, al menos, las cuentas anuales abreviadas, tanto balance como Pérdidas y Ganancias y Memoria.

12.2. EL BALANCE DE SITUACIÓN

ACTIVO

N.º CUENTAS	ACTIVO	NOTAS de la MEMORIA	200X	200X-1
A) ACTIVO NO CORRIENTE				
20 (280) (290)	**I. Inmovilizado intangible.**			
21 (281) (291) 23	**II. Inmovilizado material.**			
22 (282) (292)	**III. Inversiones inmobiliarias.**			
24 (29)	**IV. Inversiones en empresas del grupo y asociadas a largo plazo.**			
24, 25, (29)	**V. Inversiones financieras a largo plazo.**			
474	**VI. Activos por impuesto diferido.**			
B) ACTIVO CORRIENTE				
3 (39) 407	**I. Existencias.**			
	II. Deudores comerciales y otras cuentas a cobrar.			
43 (437) (490) (493)	1. Clientes por ventas y prestaciones de servicios.			
5580	2. Accionistas (socios) por desembolsos exigidos.			
44, 460, 470, 471, 472, 544	3. Otros deudores.			
53 (59)	**III. Inversiones en empresas del grupo y asociadas a corto plazo.**			
53, 54, (59)	**IV. Inversiones financieras a corto plazo.**			
480, 567	**V. Periodificaciones a corto plazo.**			
57	**VI. Efectivo y otros activos líquidos equivalentes.**			
	TOTAL ACTIVO (A+B)			

PATRIMONIO NETO

N.º CUENTAS	PATRIM. N. Y PASIVO	NOTAS MEM.	200X	200X-1
A) PATRIMONIO NETO				
	A-1) Fondos propios.			
	I. Capital social.			
100, 101, 102	1. Capital escriturado.			
(1030), (1040)	2. Capital no exigido.			
110	**II. Prima emisión.**			
112, 113, 114, 119	**III. Reservas.**			
(108), (109)	**IV. Acciones y participaciones en patrimonio propio.**			
120, (121)	**V. Resultados de ejercicios anteriores.**			
118	**VI. Otras aportaciones de socios.**			
129	**VII. Resultado del ejercicio.**			
(557)	**VIII. Dividendo a cuenta.**			
130, 131, 132	**A-2) Subvenciones, donaciones y legados.**			

PASIVO EXIGIBLE

B) PASIVO NO CORRIENTE				
14	**I. Provisiones a largo plazo.**			
	II. Deudas a largo plazo.			
16, 17,	1. Deudas con entidades de crédito.			
18	2. Acreedores por arrendamiento financiero.			
16	3. Otras deudas a largo plazo.			
479	**III. Deudas con empresas del grupo y asociadas a largo plazo.**			
181	**IV. Pasivos por impuesto diferido.**			
	V. Periodificaciones a largo plazo.			
C) PASIVO CORRIENTE				
499, 529	**I. Provisiones a corto plazo.**			
	II. Deudas a corto plazo.			
50, 51,	1. Deudas con ent. crédito.			
52, 55,	2. Acreed. por a. financiero.			
56	3. Otras deudas a corto plazo.			
51, 55	**III. Deudas con empresas del grupo y asociadas a c.p.**			
40 (406)	**IV. Acreedores comerciales y otras cuentas a pagar.**			
41, 438,	1. Proveedores.			
465, 47	2. Otros acreedores.			
485, 568	**V. Periodif. a corto plazo.**			
	TOTAL PATRIMONIO NETO Y PASIVO (A+B+C)			

12.3. LA CUENTA DE RESULTADOS

N.º CUENTAS	CONCEPTOS	NOTA	200X	200X-1
700,701,702,703,704,705 (706), (708), (709)	**1. Importe neto de la cifra de negocios.**			
(6930), 71*, 7930	**2. Variación de existencias de productos terminados y en curso de fabricación.**			
73	**3. Trabajos realizados por la empresa para su activo.**			
(600), (601), (602), 606, (607), 608, 609, 61*, (69), 79	**4. Aprovisiona-mientos.**			
740, 747, 75	**5. Otros ingresos de explotación.**			
(64)	**6. Gastos de personal.**			
(62), (631), (634), 636, 639, (65), (694), (695), 794, 7954	**7. Otros gastos de explotación.**			
(68)	**8. Amortización del inmovilizado.**			
746	**9. Imputación de subvenciones.**			
7951, 7952, 7955 (670), (671), (672), (690), (691),	**10. Exceso de provisiones.**			
(692), 770, 771, 772, 790, 791, 792	**11. Deterioro y resultado por enajenación de inmovilizado.**			
A) RESULTADO DE EXPLOTACIÓN (1+2+3+4+5+6+7+8+9+10+11)				

A) RESULTADO DE EXPLOTACIÓN (1+2+3+4+5+6+7+8+9+10+11)					
760, 761, 762, 769 (660), (661) (662), (664), (665), (669)	12. Ingresos financieros. 13. Gastos financieros.				
(663), 763	14. Variación de valor en instrumentos financieros				
(668), 768	15. Diferencias de cambio.				
(666), (667), (673), (675), (696), (697), (698), (699), 766, 773, 775 796, 797, 798, 799	16 Deterioro y resultado por enajenación de instrumentos financieros.				
B) RESULTADO FINANCIERO (12+13+14+15+16)					
C) RESULTADO ANTES DE IMPUESTOS (A+B)					
(6300), 6301*, (633), 638	17. Impuesto sobre beneficios.				
D) RESULTADO DEL EJERCICIO (C+17)					

* Su signo puede ser positivo o negativo.

12.4. LA MEMORIA

El contenido de la memoria es el siguiente:

1. **Actividad de la empresa:** descripción del objeto social de la empresa.

2. **Bases de presentación de las cuentas anuales:** principios contables aplicados.

3. **Aplicación de resultados:** propuesta de distribución de resultados.

4. **Normas de registro y valoración:** criterios de valoración.

5. **Inmovilizado material, intangible e inversiones inmobiliarias:** descripción de los mismos y variaciones sufridas, así como sus deterioros.

6. **Activos financieros:** descripción de los mismos y su deterioro.

7. **Pasivos financieros:** descripción de los mismos.

8. **Fondos propios:** detalle de los fondos propios y su variación.

9. **Situación fiscal:** descripción de la situación ante la Administración tributaria.

10. **Ingresos y gastos:** notas generales sobre los ingresos y gastos de la empresa, así como cualquier información relevante sobre los mismos.

11. **Subvenciones, donaciones y legados:** detalle de las mismas.

12. **Operaciones con partes vinculadas:** operaciones con empresas del grupo y asociadas.

13. **Otra información:** cualquier otra información relevante no incluida en otros apartados.

ANEXO

CUADRO DE CUENTAS

PLAN GENERAL DE CONTABILIDAD PARA PYMES

R.D. 1515/2007

10. CAPITAL
100. Capital social.
101. Fondo social.
102. Capital.
103. Socios por desembolsos no exigidos.
1030. Socios por desembolsos no exigidos, capital social.
1034. Socios por desembolsos no exigidos, capital pendiente de inscripción.
104. Socios por aportaciones no dinerarias pendientes.
1040. Socios por aportaciones no dinerarias pendientes, capital social,
1044. Socios por aportaciones no dinerarias pendientes, capital pendiente de inscripción.
108. Acciones o participaciones propias en situaciones especiales.
109. Acciones o participaciones propias para reducción de capital.

11. RESERVAS
110. Prima de emisión o asunción.
112. Reserva legal.
113. Reservas voluntarias.
114. Reservas especiales.
1140. Reservas para acciones o participaciones de la sociedad dominante.
1141. Reservas estatutarias.
1142. Reserva por capital amortizado.
1144. Reservas por acciones propias aceptadas en garantía.
118. Aportaciones de socios o propietarios.
119. Diferencias por ajuste del capital a euros.

12. RESULTADOS PENDIENTES DE APLICACIÓN
120. Remanente.
121. Resultados negativos de ejercicios anteriores.
129. Resultado del ejercicio.

13. SUBVENCIONES, DONACIONES, LEGADOS Y OTROS AJUSTES EN PATRIMONIO NETO
130. Subvenciones oficiales de capital.
131. Donaciones y legados de capital.
132. Otras subvenciones, donaciones y legados.
137. Ingresos fiscales a distribuir en varios ejercicios.
1370. Ingresos fiscales por diferencias permanentes a distribuir en varios ejercicios.
1371. Ingresos fiscales por deducciones y bonificaciones a distribuir en varios ejercicios.

14. PROVISIONES
141. Provisión para impuestos.
142. Provisión para otras responsabilidades.
143. Provisión por desmantelamiento, retiro o rehabilitación del inmovilizado.
145. Provisión para actuaciones medioambientales.

15. DEUDAS A LARGO PLAZO CON CARACTERÍSTICAS ESPECIALES
150. Acciones o participaciones a largo plazo consideradas como pasivos financieros.
153. Desembolsos no exigidos por acciones o participaciones consideradas como pasivos financieros.
1533. Desembolsos no exigidos, empresas del grupo.
1534. Desembolsos no exigidos, empresas asociadas.
1535. Desembolsos no exigidos, otras partes vinculadas.
1536. Otros desembolsos no exigidos.
154. Aportaciones no dinerarias pendientes por acciones o participaciones consideradas como pasivos financieros.
1543. Aportaciones no dinerarias pendientes, empresas del grupo.
1544. Aportaciones no dinerarias pendientes, empresas asociadas.
1545. Aportaciones no dinerarias pendientes, otras partes vinculadas.
1546. Otras aportaciones no dinerarias pendientes.

16. DEUDAS A LARGO PLAZO CON PARTES VINCULADAS

160. Deudas a largo plazo con entidades de crédito vinculadas.
1603. Deudas a largo plazo con entidades de crédito, empresas del grupo.
1604. Deudas a largo plazo con entidades de crédito, empresas asociadas.
1605. Deudas a largo plazo con otras entidades de crédito vinculadas.
161. Proveedores de inmovilizado a largo plazo, partes vinculadas.
1613. Proveedores de inmovilizado a largo plazo, empresas del grupo.
1614. Proveedores de inmovilizado a largo plazo, empresas asociadas.
1615. Proveedores de inmovilizado a largo plazo, otras partes vinculadas.
162. Acreedores por arrendamiento financiero a largo plazo, partes vinculadas.

1623. Acreedores por arrendamiento financiero a largo plazo, empresas de grupo.
1624. Acreedores por arrendamiento financiero a largo plazo, empresas asociadas.
1625. Acreedores por arrendamiento financiero a largo plazo, otras partes vinculadas.
163. Otras deudas a largo plazo con partes vinculadas.
1633. Otras deudas a largo plazo, empresas del grupo.
1634. Otras deudas a largo plazo, empresas asociadas.
1635. Otras deudas a largo plazo, con otras partes vinculadas.

17. DEUDAS A LARGO PLAZO POR PRÉSTAMOS RECIBIDOS, EMPRÉSTITOS Y OTROS CONCEPTOS

170. Deudas a largo plazo con entidades de crédito.
171. Deudas a largo plazo.
172. Deudas a largo plazo transformables en subvenciones, donaciones y legados.
173. Proveedores de inmovilizado a largo plazo.
174. Acreedores por arrendamiento financiero a largo plazo.
175. Efectos a pagar a largo plazo.
176. Pasivos por derivados financieros a largo plazo.
177. Obligaciones y bonos.
179. Deudas representadas en otros valores negociables.

18. PASIVOS POR FIANZAS, GARANTÍAS Y OTROS CONCEPTOS A LARGO PLAZO

180. Fianzas recibidas a largo plazo.
181. Anticipos recibidos por ventas o prestaciones de servicios a largo plazo.
185. Depósitos recibidos a largo plazo.

19. SITUACIONES TRANSITORIAS DE FINANCIACIÓN

190. Acciones o participaciones emitidas.
192. Suscriptores de acciones.
194. Capital emitido pendiente de inscripción.
195. Acciones o participaciones emitidas consideradas como pasivos financieros.
197. Suscriptores de acciones consideradas como pasivos financieros.
199. Acciones o participaciones emitidas consideradas como pasivos financieros pendientes de inscripción.

GRUPO 2 ACTIVO NO CORRIENTE

20. INMOVILIZACIONES INTANGIBLES

200. Investigación.
201. Desarrollo.
202. Concesiones administrativas.
203. Propiedad industrial.
205. Derechos de traspaso.
206. Aplicaciones informáticas.
209. Anticipos para inmovilizaciones intangibles.

21. INMOVILIZACIONES MATERIALES

210. Terrenos y bienes naturales.
211. Construcciones.
212. Instalaciones técnicas.

213. Maquinaria.
214. Utillaje.
215. Otras instalaciones.
216. Mobiliario.
217. Equipos para procesos de información.
218. Elementos de transporte.
219. Otro inmovilizado material.

22. INVERSIONES INMOBILIARIAS
220. Inversiones en terrenos y bienes naturales.
221. Inversiones en construcciones.

23. INMOVILIZACIONES MATERIALES EN CURSO
230. Adaptación de terrenos y bienes naturales.
231. Construcciones en curso.
232. Instalaciones técnicas en montaje.
233. Maquinaria en montaje.
237. Equipos para procesos de información en montaje.
239. Anticipos para inmovilizaciones materiales.

24. INVERSIONES FINANCIERAS A LARGO PLAZO EN PARTES VINCULADAS
240. Participaciones a largo plazo en partes vinculadas.
2403. Participaciones a largo plazo en empresas del grupo.
2404. Participaciones a largo plazo en empresas asociadas.
2405. Participaciones a largo plazo en otras partes vinculadas.
241. Valores representativos de deuda a largo plazo de partes vinculadas.
2413. Valores representativos de deuda a largo plazo de empresas del grupo.
2414. Valores representativos de deuda a largo plazo de empresas asociadas.
2415. Valores representativos de deuda a largo plazo de otras partes vinculadas.
242. Créditos a largo plazo a partes vinculadas.
2423. Créditos a largo plazo a empresas del grupo.
2424. Créditos a largo plazo a empresas asociadas.
2425. Créditos a largo plazo a otras partes vinculadas.
249. Desembolsos pendientes sobre participaciones a largo plazo en partes vinculadas.
2493. Desembolsos pendientes sobre participaciones a largo plazo en empresas del grupo.
2494. Desembolsos pendientes sobre participaciones a largo plazo en empresas asociadas.
2495. Desembolsos pendientes sobre participaciones a largo plazo en otras partes vinculadas.

25. OTRAS INVERSIONES FINANCIERAS A LARGO PLAZO
250. Inversiones financieras a largo plazo en instrumentos de patrimonio.
251. Valores representativos de deuda a largo plazo.
252. Créditos a largo plazo.
253. Créditos a largo plazo por enajenación de inmovilizado.
254. Créditos a largo plazo al personal.
255. Activos por derivados financieros a largo plazo.
258. Imposiciones a largo plazo.
259. Desembolsos pendientes sobre participaciones en el patrimonio neto a largo plazo.

26. FIANZAS Y DEPÓSITOS CONSTITUIDOS A LARGO PLAZO
260. Fianzas constituidas a largo plazo.
265. Depósitos constituidos a largo plazo.

28. AMORTIZACIÓN ACUMULADA DEL INMOVILIZADO
280. Amortización acumulada del inmovilizado intangible.
2800. Amortización acumulada de investigación.
2801. Amortización acumulada de desarrollo.
2802. Amortización acumulada de concesiones administrativas.
2803. Amortización acumulada de propiedad industrial.
2805. Amortización acumulada de derechos de traspaso.

2806. Amortización acumulada de aplicaciones informáticas.
281. Amortización acumulada del inmovilizado material.
2811. Amortización acumulada de construcciones.
2812. Amortización acumulada de instalaciones técnicas.
2813. Amortización acumulada de maquinaria.
2814. Amortización acumulada de utillaje.
2815. Amortización acumulada de otras instalaciones.
2816. Amortización acumulada de mobiliario.
2817. Amortización acumulada de equipos para procesos de información.
2818. Amortización acumulada de elementos de transporte.
2819. Amortización acumulada de otro inmovilizado material.
282. Amortización acumulada de las inversiones inmobiliarias.

29. DETERIORO DE VALOR DE ACTIVOS NO CORRIENTES
290. Deterioro de valor del inmovilizado intangible.
2900. Deterioro de valor de investigación.
2901. Deterioro de valor de desarrollo.
2902. Deterioro de valor de concesiones administrativas.
2903. Deterioro de valor de propiedad industrial.
2905. Deterioro de valor de derechos de traspaso.
2906. Deterioro de valor de aplicaciones informáticas.
291. Deterioro de valor del inmovilizado material.
2910. Deterioro de valor de terrenos y bienes naturales.
2911. Deterioro de valor de construcciones.
2912. Deterioro de valor de instalaciones técnicas.
2913. Deterioro de valor de maquinaria.
2914. Deterioro de valor de utillaje.
2915. Deterioro de valor de otras instalaciones.
2916. Deterioro de valor de mobiliario.
2917. Deterioro de valor de equipos para procesos de información.
2918. Deterioro de valor de elementos de transporte.
2919. Deterioro de valor de otro inmovilizado material.
292. Deterioro de valor de las inversiones inmobiliarias.
2920. Deterioro de valor de los terrenos y bienes naturales.
2921. Deterioro de valor de construcciones.
293. Deterioro de valor de participaciones a largo plazo en partes vinculadas.
2933. Deterioro de valor de participaciones a largo plazo en empresas del grupo.
2934. Deterioro de valor de participaciones a largo plazo en empresas asociadas.
2935. Deterioro de valor de participaciones a largo plazo en otras partes vinculadas.
294. Deterioro de valor de valores representativos de deuda a largo plazo de partes vinculadas.
2943. Deterioro de valor de valores representativos de deuda a largo plazo de empresas del grupo.
2944. Deterioro de valor de valores representativos de deuda a largo plazo de empresas asociadas.
2945. Deterioro de valor de valores representativos de deuda a largo plazo de otras partes vinculadas.
295. Deterioro de valor de créditos a largo plazo a partes vinculadas.
2953. Deterioro de valor de créditos a largo plazo a empresas del grupo.
2954. Deterioro de valor de créditos a largo plazo a empresas asociadas.
2955. Deterioro de valor de créditos a largo plazo a otras partes vinculadas.
296. Deterioro de valor de participaciones en el patrimonio neto a largo plazo.
297. Deterioro de valor de valores representativos de deuda a largo plazo.
298. Deterioro de valor de créditos a largo plazo.

GRUPO 3 EXISTENCIAS

30. COMERCIALES
300. Mercaderías A.
301. Mercaderías B.

31. MATERIAS PRIMAS
310. Materias primas A.

311. Materias primas B.

32. OTROS APROVISIONAMIENTOS
320. Elementos y conjuntos incorporables.
321. Combustibles.
322. Repuestos.
325. Materiales diversos.
326. Embalajes.
327. Envases.
328. Material de oficina.

33. PRODUCTOS EN CURSO
330. Productos en curso A.
331. Productos en curso B.

34. PRODUCTOS SEMITERMINADOS
340. Productos semiterminados A.
341. Productos semiterminados B.

35. PRODUCTOS TERMINADOS
350. Productos terminados A.
351. Productos terminados B.

36. SUBPRODUCTOS, RESIDUOS Y MATERIALES RECUPERADOS
360. Subproductos A.
361. Subproductos B.
365. Residuos A.
366. Residuos B.
368. Materiales recuperados A.
369. Materiales recuperados B.

39. DETERIORO DE VALOR DE LAS EXISTENCIAS
390. Deterioro de valor de las mercaderías.
391. Deterioro de valor de las materias primas.
392. Deterioro de valor de otros aprovisionamientos.
393. Deterioro de valor de los productos en curso.
394. Deterioro de valor de los productos semiterminados.
395. Deterioro de valor de los productos terminados.
396. Deterioro de valor de los subproductos, residuos y materiales recuperados.

GRUPO 4 ACREEDORES Y DEUDORES POR OPERACIONES COMERCIALES

40. PROVEEDORES
400. Proveedores.
4000. Proveedores (euros).
4004. Proveedores (moneda extranjera).
4009. Proveedores, facturas pendientes de recibir o de formalizar.
401. Proveedores, efectos comerciales a pagar.
403. Proveedores, empresas del grupo.
4030. Proveedores, empresas del grupo (euros).
4031. Efectos comerciales a pagar, empresas del grupo.
4034. Proveedores, empresas del grupo (moneda extranjera).
4036. Envases y embalajes a devolver a proveedores, empresas del grupo.
4039. Proveedores, empresas del grupo, facturas pendientes de recibir o de formalizar.
404. Proveedores, empresas asociadas.
405. Proveedores, otras partes vinculadas.
406. Envases y embalajes a devolver a proveedores.

407. Anticipos a proveedores.

41. ACREEDORES VARIOS
410. Acreedores por prestaciones de servicios.
4100. Acreedores por prestaciones de servicios (euros).
4104. Acreedores por prestaciones de servicios (moneda extranjera).
4109. Acreedores por prestaciones de servicios, facturas ptes. de recibir o formalizar.
411. Acreedores, efectos comerciales a pagar.
419. Acreedores por operaciones en común.

43. CLIENTES
430. Clientes.
4300. Clientes (euros).
4304. Clientes (moneda extranjera).
4309. Clientes, facturas pendientes de formalizar.
431. Clientes, efectos comerciales a cobrar.
4310. Efectos comerciales en cartera.
4311. Efectos comerciales descontados.
4312. Efectos comerciales en gestión de cobro.
4315. Efectos comerciales impagados.
432. Clientes, operaciones de *factoring.*
433. Clientes, empresas del grupo.
4330. Clientes empresas del grupo (euros).
4331. Efectos comerciales a cobrar, empresas del grupo.
4332. Clientes empresas del grupo, operaciones de factoring*.*
4334. Clientes empresas del grupo (moneda extranjera).
4336. Clientes empresas del grupo de dudoso cobro .
4337. Envases y embalajes a devolver a clientes, empresas del grupo.
4339. Clientes empresas del grupo, facturas pendientes de formalizar.
434. Clientes, empresas asociadas.
435. Clientes, otras partes vinculadas.
436. Clientes de dudoso cobro.
437. Envases y embalajes a devolver por clientes.
438. Anticipos de clientes.

44. DEUDORES VARIOS
440. Deudores.
4400. Deudores (euros).
4404. Deudores (moneda extranjera).
4409. Deudores, facturas pendientes de formalizar.
441. Deudores, efectos comerciales a cobrar.
4410. Deudores, efectos comerciales en cartera.
4411. Deudores, efectos comerciales descontados.
4412. Deudores, efectos comerciales en gestión de cobro.
4415. Deudores, efectos comerciales impagados.
446. Deudores de dudoso cobro.
449. Deudores por operaciones en común.

46. PERSONAL
460. Anticipos de remuneraciones.
465. Remuneraciones pendientes de pago.

47. ADMINISTRACIONES PÚBLICAS
470. Hacienda Pública, deudora por diversos conceptos.
4700. Hacienda Pública, deudora por IVA.
4708. Hacienda Pública, deudora por subvenciones concedidas.
4709. Hacienda Pública, deudora por devolución de impuestos.
471. Organismos de la Seguridad Social, deudores.
472. Hacienda Pública, IVA soportado.

473. Hacienda Pública, retenciones y pagos a cuenta.

474. Activos por impuesto diferido.

4740. Activos por diferencias temporarias deducibles.

4742. Derechos por deducciones y bonificaciones pendientes de aplicar.

4745. Crédito por pérdidas a compensar del ejercicio.

475. Hacienda Pública, acreedora por conceptos fiscales.

4750. Hacienda Pública, acreedora por IVA.

4751. Hacienda Pública, acreedora por retenciones practicadas.

4752. Hacienda Pública, acreedora por impuesto sobre sociedades.

4758. Hacienda Pública, acreedora por subvenciones a reintegrar.

476. Organismos de la Seguridad Social, acreedores.

477. Hacienda Pública, IVA repercutido.

479. Pasivos por diferencias temporarias imponibles.

48. AJUSTES POR PERIODIFICACIÓN

480. Gastos anticipados.

485. Ingresos anticipados.

49. DETERIORO DE VALOR DE CRÉDITOS COMERCIALES Y PROVISIONES A CORTO PLAZO

490. Deterioro de valor de créditos por operaciones comerciales.

493. Deterioro de valor de créditos por operaciones comerciales con partes vinculadas.

4933. Deterioro de valor de créditos por operaciones comerciales con empresas del grupo.

4934. Deterioro de valor de créditos por operaciones comerciales con empresas asociadas.

4935. Deterioro de valor de créditos por operaciones comerciales con otras partes vinculadas.

499. Provisiones por operaciones comerciales.

4994. Provisión por contratos onerosos.

4999. Provisión para otras operaciones comerciales.

GRUPO 5 CUENTAS FINANCIERAS

50. EMPRÉSTITOS, DEUDAS CON CARÁCTERÍSTICAS ESPECIALES Y OTRAS EMISIONES ANÁLOGAS A CORTO PLAZO

500. Obligaciones y bonos a corto plazo.

502. Acciones o participaciones a corto plazo consideradas como pasivos financieros.

505. Deudas representadas en otros valores negociables a corto plazo.

506. Intereses a corto plazo de empréstitos y otras emisiones análogas.

507. Dividendos de acciones o participaciones consideradas como pasivos financieros.

509. Valores negociables amortizados.

5090. Obligaciones y bonos amortizados.

5095. Otros valores negociables amortizados.

51. DEUDAS A CORTO PLAZO CON PARTES VINCULADAS

510. Deudas a corto plazo con entidades de crédito vinculadas.

5103. Deudas a corto plazo con entidades de crédito, empresas del grupo.

5104. Deudas a corto plazo con entidades de crédito, empresas asociadas.

5105. Deudas a corto plazo con otras entidades de crédito vinculadas.

511. Proveedores de inmovilizado a corto plazo, partes vinculadas.

5113. Proveedores de inmovilizado a corto plazo, empresas del grupo.

5114. Proveedores de inmovilizado a corto plazo, empresas asociadas.

5115. Proveedores de inmovilizado a corto plazo, otras partes vinculadas.

512. Acreedores por arrendamiento financiero a corto plazo, partes vinculadas.

5123. Acreedores por arrendamiento financiero a corto plazo, empresas del grupo.

5124. Acreedores por arrendamiento financiero a corto plazo, empresas asociadas.

5125. Acreedores por arrendamiento financiero a corto plazo, otras partes vinculadas.

513. Otras deudas a corto plazo con partes vinculadas.

5133. Otras deudas a corto plazo con empresas del grupo.

5134. Otras deudas a corto plazo con empresas asociadas.

5135. Otras deudas a corto plazo con otras partes vinculadas.

514. Intereses a corto plazo de deudas con partes vinculadas.

5143. Intereses a corto plazo de deudas, empresas del grupo.

5144. Intereses a corto plazo de deudas, empresas asociadas.

5145. Intereses a corto plazo de deudas, otras partes vinculadas.

52. DEUDAS A CORTO PLAZO POR PRÉSTAMOS RECIBIDOS Y OTROS CONCEPTOS

520. Deudas a corto plazo con entidades de crédito.

5200. Préstamos a corto plazo de entidades de crédito.

5201. Deudas a corto plazo por crédito dispuesto.

5208. Deudas por efectos descontados.

5209. Deudas por operaciones de «factoring».

521. Deudas a corto plazo.

522. Deudas a corto plazo transformables en subvenciones, donaciones y legados.

523. Proveedores de inmovilizado a corto plazo.

524. Acreedores por arrendamiento financiero a corto plazo.

525. Efectos a pagar a corto plazo.

526. Dividendo activo a pagar.

527. Intereses a corto plazo de deudas con entidades de crédito.

528. Intereses a corto plazo de deudas.

529. Provisiones a corto plazo.

5291. Provisión a corto plazo para impuestos.

5292. Provisión a corto plazo para otras responsabilidades.

5293. Provisión a corto plazo por desmantelamiento, retiro o rehabilitación del inmovilizado.

5295. Provisión a corto plazo para actuaciones medioambientales.

53. INVERSIONES FINANCIERAS A CORTO PLAZO EN PARTES VINCULADAS

530. Participaciones a corto plazo en partes vinculadas.

5303. Participaciones a corto plazo, en empresas del grupo.

5304. Participaciones a corto plazo, en empresas asociadas.

5305. Participaciones a corto plazo, en otras partes vinculadas.

531. Valores representativos de deuda a corto plazo de partes vinculadas.

5313. Valores representativos de deuda a corto plazo de empresas del grupo.

5314. Valores representativos de deuda a corto plazo de empresas asociadas.

5315. Valores representativos de deuda a corto plazo de otras partes vinculadas.

532. Créditos a corto plazo a partes vinculadas.

5323. Créditos a corto plazo a empresas del grupo.

5324. Créditos a corto plazo a empresas asociadas.

5325. Créditos a corto plazo a otras partes vinculadas.

533. Intereses a corto plazo de valores representativos de deuda de partes vinculadas.

5333. Intereses a corto plazo de valores representativos de deuda en empresas del grupo.

5334. Intereses a corto plazo de valores representativos de deuda en empresas asociadas.

5335. Intereses a corto plazo de valores representativos de deuda en otras partes vinculadas.

534. Intereses a corto plazo de créditos a partes vinculadas.

5343. Intereses a corto plazo de créditos a empresas del grupo.

5344. Intereses a corto plazo de créditos a empresas asociadas.

5345. Intereses a corto plazo de créditos a otras partes vinculadas.

535. Dividendo a cobrar de inversiones financieras en partes vinculadas.

5353. Dividendo a cobrar de empresas del grupo.

5354. Dividendo a cobrar de empresas asociadas.

5355. Dividendo a cobrar de otras partes vinculadas.

539. Desembolsos pendientes sobre participaciones a corto plazo en partes vinculadas.

5393. Desembolsos pendientes sobre participaciones a c.p. en empresas del grupo.

5394. Desembolsos pendientes sobre participaciones a corto plazo en empresas asociadas.

5395. Desembolsos pendientes sobre participaciones a corto plazo en otras partes vinculadas.

54. OTRAS INVERSIONES FINANCIERAS A CORTO PLAZO

540. Inversiones financieras a corto plazo en instrumentos de patrimonio.

541. Valores representativos de deuda a corto plazo.

542. Créditos a corto plazo.

543. Créditos a corto plazo por enajenación de inmovilizado.
544. Créditos a corto plazo al personal.
545. Dividendo a cobrar.
546. Intereses a corto plazo de valores representativos de deuda.
547. Intereses a corto plazo de créditos.
548. Imposiciones a corto plazo.
549. Desembolsos pendientes sobre participaciones en el patrimonio neto a corto plazo.

55. OTRAS CUENTAS NO BANCARIAS
550. Titular de la explotación.
551. Cuenta corriente con socios y administradores.
552. Cuenta corriente con otras personas y entidades vinculadas.
5523. Cuenta corriente con empresas del grupo.
5524. Cuenta corriente con empresas asociadas.
5525. Cuenta corriente con otras partes vinculadas.
554. Cuenta corriente con uniones temporales de empresas y comunidades de bienes.
555. Partidas pendientes de aplicación.
556. Desembolsos exigidos sobre participaciones en el patrimonio neto.
5563. Desembolsos exigidos sobre participaciones, empresas del grupo.
5564. Desembolsos exigidos sobre participaciones, empresas asociadas.
5565. Desembolsos exigidos sobre participaciones, otras partes vinculadas.
5566. Desembolsos exigidos sobre participaciones de otras empresas.
557. Dividendo activo a cuenta.
558. Socios por desembolsos exigidos.
5580. Socios por desembolsos exigidos sobre acciones o participaciones ordinarias.
5585. Socios por desembolsos exigidos sobre acciones o participaciones consideradas como pasivos financieros.
559. Derivados financieros a corto plazo.
5590. Activos por derivados financieros a corto plazo.
5595. Pasivos por derivados financieros a corto plazo.

56. FIANZAS Y DEPÓSITOS RECIBIDOS Y CONSTITUIDOS A CORTO PLAZO Y AJUSTES POR PERIODIFICACIÓN
560. Fianzas recibidas a corto plazo.
561. Depósitos recibidos a corto plazo.
565. Fianzas constituidas a corto plazo.
566. Depósitos constituidos a corto plazo.
567. Intereses pagados por anticipado.
568. Intereses cobrados por anticipado.

57. TESORERÍA
570. Caja, euros.
571. Caja, moneda extranjera.
572. Bancos e instituciones de crédito c/c vista, euros.
573. Bancos e instituciones de crédito c/c vista, moneda extranjera.
574. Bancos e instituciones de crédito, cuentas de ahorro, euros.
575. Bancos e instituciones de crédito, cuentas de ahorro, moneda extranjera.
576. Inversiones a corto plazo de gran liquidez.

59. DETERIORO DEL VALOR DE INVERSIONES FINANCIERAS A CORTO PLAZO
593. Deterioro de valor de participaciones a corto plazo en partes vinculadas.
5933. Deterioro de valor de participaciones a corto plazo en empresas del grupo.
5934. Deterioro de valor de participaciones a corto plazo en empresas asociadas.
5935. Deterioro de valor de participaciones a corto plazo en otras partes vinculadas.
594. Deterioro de valor de valores representativos de deuda a corto plazo de partes vinculadas.
5943. Deterioro de valor de valores representativos de deuda a corto plazo de empresas del grupo.
5944. Deterioro de valor de valores representativos de deuda a corto plazo de empresas asociadas.
5945. Deterioro de valor de valores representativos de deuda a corto plazo de otras partes vinculadas.
595. Deterioro de valor de créditos a corto plazo a partes vinculadas.
5953. Deterioro de valor de créditos a corto plazo a empresas del grupo.

5954. *Deterioro de valor de créditos a corto plazo a empresas asociadas.*

5955. *Deterioro de valor de créditos a corto plazo a otras partes vinculadas.*

596. Deterioro de valor de participaciones a corto plazo.

597. Deterioro de valor de valores representativos de deuda a corto plazo.

598. Deterioro de valor de créditos a corto plazo.

GRUPO 6 COMPRAS Y GASTOS

60. COMPRAS
600. Compras de mercaderías.

601. Compras de materias primas.

602. Compras de otros aprovisionamientos.

606. Descuentos sobre compras por pronto pago.

6060. Descuentos sobre compras por pronto pago de mercaderías.

6061. Descuentos sobre compras por pronto pago de materias primas.

6062. Descuentos sobre compras por pronto pago de otros aprovisionamientos.

607. Trabajos realizados por otras empresas.

608. Devoluciones de compras y operaciones similares.

6080. Devoluciones de compras de mercaderías.

6081. Devoluciones de compras de materias primas.

6082. Devoluciones de compras de otros aprovisionamientos.

609. *Rappels* por compras.

6090. Rappels por compras de mercaderías.

6091. Rappels por compras de materias primas.

6092. Rappels por compras de otros aprovisionamientos.

61. VARIACIÓN DE EXISTENCIAS
610. Variación de existencias de mercaderías.

611. Variación de existencias de materias primas.

612. Variación de existencias de otros aprovisionamientos.

62. SERVICIOS EXTERIORES
620. Gastos en investigación y desarrollo del ejercicio.

621. Arrendamientos y cánones.

622. Reparaciones y conservación.

623. Servicios de profesionales independientes.

624. Transportes.

625. Primas de seguros.

626. Servicios bancarios y similares.

627. Publicidad, propaganda y relaciones públicas.

628. Suministros.

629. Otros servicios.

63. TRIBUTOS
630. Impuesto sobre beneficios.

6300. Impuesto corriente.

6301. Impuesto diferido.

631. Otros tributos.

633. Ajustes negativos en la imposición sobre beneficios.

634. Ajustes negativos en la imposición indirecta.

6341. Ajustes negativos en IVA de activo corriente.

6342. Ajustes negativos en IVA de inversiones.

636. Devolución de impuestos.

638. Ajustes positivos en la imposición sobre beneficios.

639. Ajustes positivos en la imposición indirecta.

6391. Ajustes positivos en IVA de activo corriente.

6392. Ajustes positivos en IVA de inversiones.

64. GASTOS DE PERSONAL

640. Sueldos y salarios.
641. Indemnizaciones.
642. Seguridad Social a cargo de la empresa.
649. Otros gastos sociales.

65. OTROS GASTOS DE GESTIÓN

650. Pérdidas de créditos comerciales incobrables.
651. Resultados de operaciones en común.
6510. Beneficio transferido (gestor).
6511. Pérdida soportada (partícipe o asociado no gestor).
659. Otras pérdidas en gestión corriente.

66. GASTOS FINANCIEROS

660. Gastos financieros por actualización de provisiones.
661. Intereses de obligaciones y bonos.
6610. Intereses de obligaciones y bonos a largo plazo, empresas del grupo.
6611. Intereses de obligaciones y bonos a largo plazo, empresas asociadas.
6612. Intereses de obligaciones y bonos a largo plazo, otras partes vinculadas.
6613. Intereses de obligaciones y bonos a largo plazo, otras empresas.
6615. Intereses de obligaciones y bonos a corto plazo, empresas del grupo.
6616. Intereses de obligaciones y bonos a corto plazo, empresas asociadas.
6617. Intereses de obligaciones y bonos a corto plazo, otras partes vinculadas.
6618. Intereses de obligaciones y bonos a corto plazo, otras empresas.
662. Intereses de deudas.
6620. Intereses de deudas, empresas del grupo.
6621. Intereses de deudas, empresas asociadas.
6622. Intereses de deudas, otras partes vinculadas.
6623. Intereses de deudas con entidades de crédito.
6624. Intereses de deudas, otras empresas.
663. Pérdidas por valoración de activos y pasivos financieros por su valor razonable.
664. Dividendos de acciones o participaciones consideradas como pasivos financieros.
6640. Dividendos de pasivos, empresas del grupo.
6641. Dividendos de pasivos, empresas asociadas.
6642. Dividendos de pasivos, otras partes vinculadas.
6643. Dividendos de pasivos, otras empresas.
665. Intereses por descuento de efectos y operaciones de *factoring.*
6650. Intereses por descuento de efectos en entidades de crédito del grupo.
6651. Intereses por descuento de efectos en entidades de crédito asociadas.
6652. Intereses por descuento de efectos en otras entidades de crédito vinculadas.
6653. Intereses por descuento de efectos en otras entidades de crédito.
6654. Intereses por operaciones de factoring *con entidades de crédito del grupo.*
6655. Intereses por operaciones de factoring *con entidades de crédito asociadas.*
6656. Intereses por operaciones de factoring *con otras entidades de cto. vinculadas.*
6657. Intereses por operaciones de factoring *con otras entidades de crédito.*
666. Pérdidas en participaciones y valores representativos de deuda.
6660. Pérdidas en valores representativos de deuda a largo plazo, empresas del grupo.
6661. Pérdidas en valores representativos de deuda a largo plazo, empresas asociadas.
6662. Pérdidas en valores representativos de deuda a l.p., otras partes vinculadas.
6663. Pérdidas en participaciones y valores representativos de deuda a largo plazo, otras empresas.
6665. Pérdidas en participaciones y valores representativos de deuda a corto plazo, empresas del grupo.
6666. Pérdidas en participaciones y valores representativos de deuda a corto plazo, empresas asociadas.
6667. Pérdidas en valores representativos de deuda a corto plazo, otras partes vinculadas.
6668. Pérdidas en valores representativos de deuda a corto plazo, otras empresas.
667. Pérdidas de créditos no comerciales.
6670. Pérdidas de créditos a largo plazo, empresas del grupo.
6671. Pérdidas de créditos a largo plazo, empresas asociadas.
6672. Pérdidas de créditos a largo plazo, otras partes vinculadas.
6673. Pérdidas de créditos a largo plazo, otras empresas.

6675. Pérdidas de créditos a corto plazo, empresas del grupo.
6676. Pérdidas de créditos a corto plazo, empresas asociadas.
6677. Pérdidas de créditos a corto plazo, otras partes vinculadas.
6678. Pérdidas de créditos a corto plazo, otras empresas.
668. Diferencias negativas de cambio.
669. Otros gastos financieros.

67. PÉRDIDAS PROCEDENTES DE ACTIVOS NO CORRIENTES Y GASTOS EXCEPCIONALES
670. Pérdidas procedentes del inmovilizado intangible.
671. Pérdidas procedentes del inmovilizado material.
672. Pérdidas procedentes de las inversiones inmobiliarias.
673. Pérdidas procedentes de participaciones a largo plazo en partes vinculadas.
6733. Pérdidas procedentes de participaciones a largo plazo, empresas del grupo.
6734. Pérdidas procedentes de participaciones a largo plazo, empresas asociadas.
6735. Pérdidas procedentes de participaciones a largo plazo, otras partes vinculadas.
675. Pérdidas por operaciones con obligaciones propias.
678. Gastos excepcionales.

68. DOTACIONES PARA AMORTIZACIONES
680. Amortización del inmovilizado intangible.
681. Amortización del inmovilizado material.
682. Amortización de las inversiones inmobiliarias.

69. PÉRDIDAS POR DETERIORO Y OTRAS DOTACIONES
690. Pérdidas por deterioro del inmovilizado intangible.
691. Pérdidas por deterioro del inmovilizado material.
692. Pérdidas por deterioro de las inversiones inmobiliarias.
693. Pérdidas por deterioro de existencias.
6930. Pérdidas por deterioro de productos terminados y en curso de fabricación.
6931. Pérdidas por deterioro de mercaderías.
6932. Pérdidas por deterioro de materias primas.
6933. Pérdidas por deterioro de otros aprovisionamientos.
694. Pérdidas por deterioro de créditos por operaciones comerciales.
695. Dotación a la provisión por operaciones comerciales.
6954. Dotación a la provisión por contratos onerosos.
6959. Dotación a la provisión para otras operaciones comerciales.
696. Pérdidas por deterioro de participaciones y valores representativos de deuda a largo plazo.
6960. Pérdidas por deterioro de participaciones en instrumentos de patrimonio neto a largo plazo, empresas del grupo.
6961. Pérdidas por deterioro de participaciones en instrumentos de patrimonio neto a largo plazo, empresas asociadas.
6962. Pérdidas por deterioro de participaciones en instrumentos de patrimonio neto a largo plazo, otras partes vinculadas.
6963. Pérdidas por deterioro de participaciones en instrumentos de patrimonio neto a largo plazo, otras empresas.
6965. Pérdidas por deterioro en valores representativos de deuda a largo plazo, empresas del grupo.
6966. Pérdidas por deterioro en valores representativos de deuda a largo plazo, empresas asociadas.
6967. Pérdidas por deterioro en valores representativos de deuda a largo plazo, otras partes vinculadas.
6968. Pérdidas por deterioro en valores representativos de deuda a largo plazo, de otras empresas.
697. Pérdidas por deterioro de créditos a largo plazo.
6970. Pérdidas por deterioro de créditos a largo plazo, empresas del grupo.
6971. Pérdidas por deterioro de créditos a largo plazo, empresas asociadas.
6972. Pérdidas por deterioro de créditos a largo plazo, otras partes vinculadas.
6973. Pérdidas por deterioro de créditos a largo plazo, otras empresas.
698. Pérdidas por deterioro de participaciones y valores representativos de deuda a corto plazo.
6980. Pérdidas por deterioro de participaciones en instrumentos de patrimonio neto a corto plazo, empresas del grupo.
6981. Pérdidas por deterioro de participaciones en instrumentos de patrimonio neto a corto plazo, empresas asociadas.
6985. Pérdidas por deterioro en valores representativos de deuda a corto plazo, empresas del grupo.
6986. Pérdidas por deterioro en valores representativos de deuda a corto plazo, empresas asociadas.
6987. Pérdidas por deterioro en valores representativos de deuda a corto plazo, otras partes vinculadas.
6988. Pérdidas por deterioro en valores representativos de deuda a corto plazo, de otras empresas.

699. Pérdidas por deterioro de créditos a corto plazo.
6990. Pérdidas por deterioro de créditos a corto plazo, empresas del grupo.
6991. Pérdidas por deterioro de créditos a corto plazo, empresas asociadas.
6992. Pérdidas por deterioro de créditos a corto plazo, otras partes vinculadas.
6993. Pérdidas por deterioro de créditos a corto plazo, otras empresas.

GRUPO 7 VENTAS E INGRESOS

70. VENTAS DE MERCADERÍAS, DE PRODUCCIÓN PROPIA, DE SERVICIOS, ETC.

700. Ventas de mercaderías.
701. Ventas de productos terminados.
702. Ventas de productos semiterminados.
703. Ventas de subproductos y residuos.
704. Ventas de envases y embalajes.
705. Prestaciones de servicios.
706. Descuentos sobre ventas por pronto pago.
7060. Descuentos sobre ventas por pronto pago de mercaderías.
7061. Descuentos sobre ventas por pronto pago de productos terminados.
7062. Descuentos sobre ventas por pronto pago de productos semiterminados.
7063. Descuentos sobre ventas por pronto pago de subproductos y residuos.
708. Devoluciones de ventas y operaciones similares.
7080. Devoluciones de ventas de mercaderías.
7081. Devoluciones de ventas de productos terminados.
7082. Devoluciones de ventas de productos semiterminados.
7083. Devoluciones de ventas de subproductos y residuos.
7084. Devoluciones de ventas de envases y embalajes.
709. *Rappels* sobre ventas.
7090. Rappels *sobre ventas de mercaderías.*
7091. Rappels *sobre ventas de productos terminados.*
7092. Rappels *sobre ventas de productos semiterminados.*
7093. Rappels *sobre ventas de subproductos y residuos.*
7094. Rappels *sobre ventas de envases y embalajes.*

71. VARIACIÓN DE EXISTENCIAS

710. Variación de existencias de productos en curso.
711. Variación de existencias de productos semiterminados.
712. Variación de existencias de productos terminados.
713. Variación de existencias de subproductos, residuos y materiales recuperados.

73. TRABAJOS REALIZADOS PARA LA EMPRESA

730. Trabajos realizados para el inmovilizado intangible.
731. Trabajos realizados para el inmovilizado material.
732. Trabajos realizados en inversiones inmobiliarias.
733. Trabajos realizados para el inmovilizado material en curso.

74. SUBVENCIONES, DONACIONES Y LEGADOS

740. Subvenciones, donaciones y legados a la explotación.
746. Subvenciones, donaciones y legados de capital transferidos al resultado del ejercicio.
747. Otras subvenciones, donaciones y legados transferidos al resultado del ejercicio.

75. OTROS INGRESOS DE GESTIÓN

751. Resultados de operaciones en común.
7510. Pérdida transferida (gestor).
7511. Beneficio atribuido (partícipe o asociado no gestor).
752. Ingresos por arrendamientos.
753. Ingresos de propiedad industrial cedida en explotación.
754. Ingresos por comisiones.
755. Ingresos por servicios al personal.
759. Ingresos por servicios diversos.

76. INGRESOS FINANCIEROS
760. Ingresos de participaciones en instrumentos de patrimonio.
7600. Ingresos de participaciones en instrumentos de patrimonio, empresas del grupo.
7601. Ingresos de participaciones en instrumentos de patrimonio, empresas asociadas.
7602. Ingresos de participaciones en instrumentos de patrimonio, otras partes vinculadas.
7603. Ingresos de participaciones en instrumentos de patrimonio, otras empresas.

761. Ingresos de valores representativos de deuda.
7610. Ingresos de valores representativos de deuda, empresas del grupo.
7611. Ingresos de valores representativos de deuda, empresas asociadas.
7612. Ingresos de valores representativos de deuda, otras partes vinculadas.
7613. Ingresos de valores representativos de deuda, otras empresas.
762. Ingresos de créditos.
7620. Ingresos de créditos a largo plazo.
76200. Ingresos de créditos a largo plazo, empresas del grupo.
76201. Ingresos de créditos a largo plazo, empresas asociadas.
76202. Ingresos de créditos a largo plazo, otras partes vinculadas.
76203. Ingresos de créditos a largo plazo, otras empresas.
7621. Ingresos de créditos a corto plazo.
76210. Ingresos de créditos a corto plazo, empresas del grupo.
76211. Ingresos de créditos a corto plazo, empresas asociadas.
76212. Ingresos de créditos a corto plazo, otras partes vinculadas.
76213. Ingresos de créditos a corto plazo, otras empresas.
763. Beneficios por valoración de activos y pasivos financieros por su valor razonable.
766. Beneficios en participaciones y valores representativos de deuda.
7660. Beneficios en valores representativos de deuda a largo plazo, empresas del grupo.
7661. Beneficios en valores representativos de deuda a largo plazo, empresas asociadas.
7662. Beneficios en valores representativos de deuda a largo plazo, otras partes vinculadas.
7663. Beneficios en participaciones y valores representativos de deuda a largo plazo, otras empresas.
7665. Beneficios en participaciones y valores representativos de deuda a corto plazo, empresas del grupo.
7666. Beneficios en participaciones y valores representativos de deuda a corto plazo, empresas asociadas.
7667. Beneficios en valores representativos de deuda a corto plazo, otras partes vinculadas.
7668. Beneficios en valores representativos de deuda a corto plazo, otras empresas.
768. Diferencias positivas de cambio.
769. Otros ingresos financieros.

77. BENEFICIOS PROCEDENTES DE ACTIVOS NO CORRIENTES E INGRESOS EXCEPCIONALES
770. Beneficios procedentes del inmovilizado intangible.
771. Beneficios procedentes del inmovilizado material.
772. Beneficios procedentes de las inversiones inmobiliarias.
773. Beneficios procedentes de participaciones a largo plazo en partes vinculadas.
7733. Beneficios procedentes de participaciones a largo plazo, empresas del grupo.
7734. Beneficios procedentes de participaciones a largo plazo, empresas asociadas.
7735. Beneficios procedentes de participaciones a largo plazo, otras partes vinculadas.
775. Beneficios por operaciones con obligaciones propias.
778. Ingresos excepcionales.

79. EXCESOS Y APLICACIONES DE PROVISIONES Y DE PÉRDIDAS POR DETERIORO
790. Reversión del deterioro del inmovilizado intangible.
791. Reversión del deterioro del inmovilizado material.
792. Reversión del deterioro de las inversiones inmobiliarias.
793. Reversión del deterioro de existencias.
7930. Reversión del deterioro de productos terminados y en curso de fabricación.
7931. Reversión del deterioro de mercaderías.
7932. Reversión del deterioro de materias primas.
7933. Reversión del deterioro de otros aprovisionamientos.
794. Reversión del deterioro de créditos por operaciones comerciales.
795. Exceso de provisiones.
7951. Exceso de provisión para impuestos.
7952. Exceso de provisión para otras responsabilidades.

7954. Exceso de provisión por operaciones comerciales.

79544. Exceso de provisión por contratos onerosos.

79549. Exceso de provisión para otras operaciones comerciales.

7955. Exceso de provisión para actuaciones medioambientales.

796. Reversión del deterioro de participaciones y valores representativos de deuda a largo plazo.

7960. Reversión del deterioro de participaciones en instrumentos de patrimonio neto a largo plazo, empresas del grupo.

7961. Reversión del deterioro de participaciones en instrumentos de patrimonio neto a largo plazo, empresas asociadas.

7962. Reversión del deterioro de participaciones en instrumentos de patrimonio neto a largo plazo, otras partes vinculadas.

7963. Reversión del deterioro de participaciones en instrumentos de patrimonio neto a largo plazo, otras empresas.

7965. Reversión del deterioro de valores representativos de deuda a largo plazo, empresas del grupo.

7966. Reversión del deterioro de valores representativos de deuda a largo plazo, empresas asociadas.

7967. Reversión del deterioro de valores representativos de deuda a largo plazo, otras partes vinculadas.

7968. Reversión del deterioro de valores representativos de deuda a largo plazo, otras empresas.

797. Reversión del deterioro de créditos a largo plazo.

7970. Reversión del deterioro de créditos a largo plazo, empresas del grupo.

7971. Reversión del deterioro de créditos a largo plazo, empresas asociadas.

7972. Reversión del deterioro de créditos a largo plazo, otras partes vinculadas.

7973. Reversión del deterioro de créditos a largo plazo, otras empresas.

798. Reversión del deterioro de participaciones y valores representativos de deuda a corto plazo.

7980. Reversión del deterioro de participaciones en instrumentos de patrimonio neto a corto plazo, empresas del grupo.

7981. Reversión del deterioro de participaciones en instrumentos de patrimonio neto a corto plazo, empresas asociadas.

7985. Reversión del deterioro en valores representativos de deuda a corto plazo, empresas del grupo.

7986. Reversión del deterioro en valores representativos de deuda a corto plazo, empresas asociadas.

7987. Reversión del deterioro en valores representativos de deuda a corto plazo, otras partes vinculadas.

7988. Reversión del deterioro en valores representativos de deuda a corto plazo, otras empresas.

799. Reversión del deterioro de créditos a corto plazo.

7990. Reversión del deterioro de créditos a corto plazo, empresas del grupo.

7991. Reversión del deterioro de créditos a corto plazo, empresas asociadas.

7992. Reversión del deterioro de créditos a corto plazo, otras partes vinculadas.

7993. Reversión del deterioro de créditos a corto plazo, otras empresas.